Das Orangene Buch

Die Osho Meditationen

Inhalt

Einleitung	9
Was ist Meditation	
Was ist Meditation	13
Meditation ist nicht Konzentration	14
Welche Meditation für wen?	19
Schaffe dir einen Platz zum Meditieren	23
Sei locker und natürlich	26
Morgendämmerung	
Lachen, Bewegung, Katharsis	27
Lachmeditation	28
Die Meditation des goldenen Lichts	30
Warten auf den Sonnenaufgang	33
Hymne an die aufgehende Sonne	34
Dauerlauf, Jogging und Schwimmen	35
„Ich habe einen Kniff gefunden"	39
Osho Dynamische Meditation	42
Osho Mandala Meditation	48
Warum Katharsis?	50
Kissen schlagen	53
Bellen, Knurren, Atmen	55
Am Morgen	
Feiern, Spielen, Arbeiten	56
Musik und Tanz	57
Tanz Celebration	58
Osho Nataraj Meditation	60
Kirtan	63

Lebe in diesem Augenblick	65
Techniken für den Alltag	66
Stop!	66
Arbeit als Meditation	68
Meditation für Vielflieger	71
Dies ist das Geheimnis: Sei kein Automat	73
Oshos Raucher-Meditation	74
Ganz gewöhnlicher Tee – Genieße ihn!	79
Sitze still und warte	80
Manchmal kannst du ganz einfach verschwinden	82
Die Guillotinen-Meditation	84
„Ich bin das nicht"	85
Schreibe deine Gedanken nieder	86
Fratzen schneiden	87
Schaue in den Himmel	88
Der Duft einer Blume	89
Kommuniziere mit der Erde	90
Entspanne deinen Atem	91
Friede mit diesem Menschen	92
Versenke dich ins Gegenteil	94
„Nicht zwei"	95
Folge dem Ja	96
Schließe Freundschaft mit einem Baum	98
Bist du hier?	99

Am Nachmittag
Sitzen, Schauen, Hören   100

Meditation hat kein Ziel	101
Sitzen	103
Atmen – Das tiefste Mantra	104
Osho über Vipassana	105

INHALT

Neo-Vipassana	108
Astronaut im inneren All	112
„Eins"	116
Das innere Lächeln	117
Osho	119
Zazen	120
Schauen	124
Zuhören	130
Die Energiesäule	132
Fühle die Stille des Mutterleibs	133

Am Abend
Schütteln, Tanzen, Singen — 135

Osho Kundalini Meditation	136
Wiegemeditation	139
Tanzen	140
Osho Whirling Meditation	146
Singen	149
Mantra	150
Summen	153
Osho Nadabrahma Meditation	155
Osho Nadabrahma Meditation für Paare	157
Was tun, wenn die Mücken kommen?	158

In der Nacht
Phantasie, Gebet, Liebe — 162

Werde ein hohles Bambusrohr	163
Meditiere ins Licht	165
Tratak – die Technik des Starrens	166
Spiegelstarren	169

DAS ORANGENE BUCH

Vertiefe dich in das Wesen des Buddha	171
Shiva Netra	172
Laß einen Stern herein	173
Die Mondsucht-Meditation	175
Schlafe als Kosmos ein	176
Phantasie-Spiele	178
Sei so negativ wie du kannst	181
„Ja, ja, ja"	184
Ein kurzes, scharfes Rütteln	185
Lege deine Rüstung ab	187
„Oh"	188
Lebens- und Todesmeditation	191
Such dir ein Babyfläschchen	192
Schaue deiner Angst in die Augen	193
Kehre zurück in den Mutterleib	195
Laß deine Stimmen raus	196
Brabbel-Meditation	198
Gebet	199
Gebetsmeditation	202
Latihan	204
Osho Gourishankar Meditation	206
Osho Devavani Meditation	208
Liebe	211
Strahle Liebe aus	215

Die neuen Meditationen
Osho Mystic Rose Meditation	223
Osho No-Mind-Meditation	226

Der einzige Weg
Es gibt keine Abkürzung	229

Einleitung

Mehr als je ein Meister vor ihm hat Osho Techniken entwickelt, die den Menschen zu seiner inneren Natur führen. Das vorliegende Buch mit Meditationstechniken enthält einen wichtigen, wenn auch nur kleinen Teil der Methoden, die er hierbei einsetzt. Osho hat eine einmalige Gabe, ganz alltägliche Lebenssituationen aus Arbeit und Beziehungen zu Schlüsselsituationen zu machen, in denen wir bewußter werden können.

Bei der inneren Begegnung mit einem erleuchteten Meister geschieht eine alchimistische Verwandlung. Eine intuitive Erkenntnis steigt in uns auf: Ja, dieser Mann stellt uns unsere höhere Möglichkeit vor Augen; er ist, was auch wir sein können. So wirkt der Meister als Katalysator, der unser Vertrauen zu uns selbst, zu unserem eigenen Aufblühen weckt. Dieses Vertrauen genügt, um uns auf den Weg zu bringen.

Tatsächlich gibt es nicht nur einen einzigen Weg, obwohl das Ziel gleich ist. Jeder von uns ist einmalig, und für jeden von uns gibt es eine andere Methode, die nach innen führt.

Oshos großer Beitrag ist, daß er von einem umfassenden Verständnis der komplexen Situation des Menschen des 20. Jahrhunderts ausgeht. Er öffnet uns ein Panorama unzähliger Methoden, so daß wir selbst prüfen und wählen können. Für ihn gibt es keinen dogmatischen Rahmen, in den alles gezwängt werden muß. Angewandt wird

EINLEITUNG

alles, was funktioniert, was uns bewußter macht – egal, ob es alte Yoga-Übungen sind, moderne humanpsychologische Therapien oder Oshos einmalige, eigens für uns entwickelte Methoden.

In Pune, Indien, und in den Osho Meditationszentren auf er ganzen Welt, wird ein großes Spektrum an Workshops, Kursen und kreativen Wissenschaften angeboten, die alle auf Oshos umwälzenden Erkenntnissen beruhen. Osho sagt: „Dieses ganze Leben ist eine einzige Wachstums-Chance, und darin besteht die wahre Religion, aber auch die wahre Psychologie – denn wahre Religion kann nichts anderes sein als wahre Psychologie. Ich nenne diese Art Psychologie, ‚Psychologie der Buddhas'. Die fordert dich entschieden heraus, mehr zu sein, als du bist. Sie gibt dir eine göttliche Unzufriedenheit. Sie entzündet in dir das Verlangen, höher und immer höher zu steigen – nicht über andere, sondern über dich selbst hinaus."

Dieses Orangene Buch ist eine Sammlung von Meditationstechniken, die uns Osho im Laufe der Jahre mitgegeben hat. Es enthält außerdem Auszüge und Zitate aus seinen Vorträgen die in den Büchern festgehalten sind.

Einige dieser Techniken – wie z.B. die Neo-Vipassana, Nadabrahma und Whirling Meditation – sind erfahrenen Meditierern von alters her bekannt, sind jahrhundertealte Meditationsmethoden aus verschiedenen Traditionen. Andere – wie z.B. die Dynamische Meditation, Kundalini und Gourishankar Meditation – verbinden die Weisheit der alten Traditionen mit den Erkenntnissen der zeitgenössischen Psychologie. Osho verschmilzt diese beiden Elemente und entwickelt so Meditationsformen, die den Bedürfnissen des modernen Menschen entsprechen. Mit diesen modernen Meditationen können wir bis an unsere Grenzen gehen, ins Hier und Jetzt gelangen und zu uns selbst finden.

Wie alle Buddhas vor ihm, sagt auch Osho, daß wir erst dann wirklich meditieren, wenn alle unsere Anstrengungen erschöpft sind und all diese Techniken überflüssig geworden sind. Erst dann können wir erkennen, daß dieses so unerreichbar scheinende „Hier und Jetzt" ganz einfach hier ist, jetzt.

Bis es soweit ist, lieber Leser, reihe dich ein in den Tanz! Lache und singe, renne, hüpfe und schreie, sitze und blicke unbeweglich, lebe und liebe – vom Morgengrauen bis in die Nacht hinein. Sage nicht, du seist zu beschäftigt, du hättest keine Zeit zum Meditieren! Wage den Sprung und probiere es aus.

Osho empfiehlt für bestimmte Meditationen bestimmte Tageszeiten, aber das sind nur Empfehlungen, keine starren Regeln. Es ist immer noch besser, die Dynamische Meditation am Abend zu machen, als überhaupt nicht.

Betrachte das Meditieren als eine Entdeckungsreise – und dieses Orangene Buch als deinen Reiseführer.

Es wird dich in nie gekannte Territorien führen – in dein eigenes Inneres.

Was ist Meditation?

Zuallererst muß man erfahren, was Meditation ist.
Alles andere folgt dann.
Ich kann euch nicht sagen, ihr sollt meditieren, ich kann euch
lediglich erklären, was Meditation ist. Wenn Ihr mich versteht,
dann seid ihr in Meditation; es gibt da kein „sollte" oder „müßte".
Wenn ihr mich nicht versteht, dann heißt das,
daß ihr nicht in Meditation seid.

Was ist Meditation?

Meditation ist ein Zustand jenseits des Denkens. Meditation ist ein Zustand des reinen Bewußtseins ohne Inhalt. Normalerweise ist euer Bewußtsein von einem Schutthaufen zugedeckt, wie ein Spiegel, den der Staub blind gemacht hat.

Und im Kopf geht es zu wie zur Hauptverkehrszeit: da verkehren Gedanken, da verkehren Sehnsüchte, da verkehren Erinnerungen, da verkehren ehrgeizige Vorstellungen – es herrscht ständiger Verkehr! Tagein, tagaus. Selbst wenn du schläfst, läuft der Kopf-Mechanismus weiter, du träumst. Du denkst immer noch; der Verstand produziert immer neue Ängste und Sorgen. Er sorgt sich immer schon um den nächsten Tag, im Untergrund laufen ständig Vorbereitungen.

Dies ist der Zustand ohne Meditation. Meditation ist genau das Gegenteil. Wenn Funkstille im Kopf ist, wenn alles Denken aufgehört hat, kein Gedanke sich regt, kein Verlangen auftaucht, wenn du absolut still bist – diese Stille ist Meditation. Und in dieser Stille erkennt man die Wahrheit, und nur in dieser Stille. Meditation ist ein Zustand jenseits des Denkens.

Und den Zustand der Meditation kann man nicht mit Hilfe des Verstandes erreichen. Der Verstand ist zu laut, er ist ein perpetuum mobile, er hält sich selbst in Gang. Meditation erreichst du nur dann, wenn du den Verstand beiseite legst, wenn du gelassen bist, unbeteiligt, nicht mit deinen Gedanken identifiziert; wenn du die Gedanken vorbeiziehen siehst, aber dich nicht mit ihnen identifizierst, wenn du nicht denkst: Ich bin meine Gedanken. Meditation geschieht, wenn dir klar wird, daß du nicht dein Verstand bist, und wenn dieses Bewußtsein tiefer und tiefer in dich sinkt, dann wirst du allmählich Augenblicke der Stille erleben, Augenblicke reiner Klarheit, Augenblicke der Transparenz, Augenblicke, in denen sich nichts in dir rührt und alles still ist. In diesen stillen Augenblicken wirst du erkennen, wer du bist, und du wirst um das Mysterium dieser Existenz wissen.

Und dann kommt ein Tag, ein Tag großer Seligkeit, an dem Meditation dein natürlicher Zustand wird.

Der Verstand ist etwas Unnatürliches; er wird nie dein natürlicher Zustand sein. Aber Meditation ist der natürliche Zustand, den wir verloren haben. Meditation ist das verlorene Paradies, das wir wiederfinden können. Schau in die Augen eines Kindes: und du wirst unermeßliche Stille und Unschuld entdecken. Jedes Kind kommt im Zustand der Meditation zur Welt, aber dann wird es in die Gesellschaft eingeführt – sie bringt dem Kind bei, wie man denkt, wie man kalkuliert, wie man vernünftig wird, wie man argumentiert; das Kind lernt Worte, Sprache, Konzepte, und nach und nach verliert es seine ursprüngliche Unschuld. Es wird von der Gesellschaft verseucht, verschmutzt. Es wird zum leistungsfähigen Mechanismus; ein Mensch ist es dann nicht mehr.

Es kommt darauf an, diesen ursprünglichen Zustand wiederzufinden. Du kennst ihn schon, und wenn du zum ersten Mal Meditation erlebst, wirst du erstaunt sein – ein sehr starkes Gefühl wird in dir aufsteigen, das Gefühl, daß du diesen Zustand schon kennst. Und dieses Gefühl stimmt: du kennst ihn schon. Du hast ihn nur vergessen. Der Edelstein ist unter dem Schutt verlorengegangen. Aber wenn du diesen Schutt wegräumst, wirst du den Edelstein wiederfinden – er gehört dir.

Er kann nicht wirklich verlorengehen – er kann höchstens in Vergessenheit geraten. Wir werden als Meditierer geboren, und dann lernen wir, die Wege des Verstandes zu gehen. Aber unsere wirkliche Natur bleibt irgenwo ganz tief unten verborgen, wie eine unterirdische Strömung. Grabe nach, sei es nur ein bißchen an jedem Tag, und du wirst die Quelle noch lebendig finden, die Quelle frischen Wassers. Es ist die größte Freude im Leben, sie zu finden.

Meditation ist nicht Konzentration

Meditation ist kein Zustand der Konzentration. Bei der Konzentration ist ein Selbst da, das sich konzentriert, und ein Gegenstand, auf den sich das Selbst konzentriert. Es gibt Dualität. Im Zustand der Meditation gibt es niemanden, der innen ist, und nichts, das außen ist. Er ist nicht Konzentration. Es besteht keine Trennung zwischen dem Inneren und dem Äußeren. Das Innere fließt in das Äußere und das Äußere fließt in das Innere, es ist ein ständiges Fließen. Die Einschränkung, die Begrenzung, die Grenzlinie ist nicht mehr vorhanden. Das Innere ist außen und das Äußere ist innen – ungespaltenes Bewußtsein.
Konzentration ist gespaltenes Bewußtsein: deswegen macht Konzentration müde; deshalb fühlst du dich erschöpft, wenn du dich auf etwas konzentriert hast. Und du kannst dich nicht jahrein, jahraus, vierundzwanzig Stunden am Tag konzentrieren. Von Zeit zu Zeit mußt du dich ausruhen und Urlaub machen. Konzentration kann niemals zu deiner Natur werden. Meditation macht dich nicht müde, meditieren erschöpft dich nicht. Du kannst vierundzwanzig Stunden am Tag meditieren – tagein, tagaus, jahrein, jahraus – ewig. Meditation ist Entspannung. Konzentration ist Aktion – eine vom Willen beeinflußte Handlung. Meditation ist ein Zustand des Nicht-Wollens, ein Zustand des Nicht-Tuns. Es ist Entspannung. Du läßt dich einfach in dein innerstes Sein hineinfallen, und dieses Sein ist das Sein des Alls. Wenn man sich konzentriert,

arbeitet der Verstand, zieht logische Schlüsse; du tust etwas. Konzentration kommt aus der Vergangenheit. Die Meditation kennt keine logischen Schlüsse. Du tust nichts, du bist einfach nur. Die Vergangenheit existiert nicht, sie kann diesen Zustand nicht verseuchen. In diesem Zustand gibt es auch keine Zukunft, das Morgen existiert nicht. Laotse spricht von *wei-wu-wei*: Tun durch Nicht-Tun. Es ist das, wovon die Zen-Meister aller Zeiten gesprochen haben: Du sitzt still da, tust nichts, der Frühling kommt, und das Gras wächst von selbst. Denke daran: „von selbst" – nichts wird getan. Du ziehst das Gras nicht aus dem Boden! Der Frühling kommt und das Gras wächst einfach von selbst. Dieser Zustand – wenn du dem Leben seinen freien Lauf läßt, wenn du nicht seine Richtung bestimmen willst, wenn du es nicht kontrollieren willst, wenn du es nicht nach deinen Vorstellungen beeinflussen, ihm keine Regeln aufzwingen willst – dieser Zustand der unbeschränkten, reinen Spontaneität ist Meditation.

Meditation ist in der Gegenwart, es ist die reine Gegenwart. Meditation ist ein unmittelbarer Zustand. Du kannst nicht meditieren, du kannst in Meditation sein. Du kannst nicht in Konzentration sein, du kannst dich konzentrieren. Konzentration ist menschlich, Meditation ist göttlich.

Welche Meditation für wen?

Bevor du zu meditieren beginnst, finde erst einmal die Meditation heraus, die dich am meisten anzieht.
Meditation sollte keine zwanghafte Bemühung sein. Wenn du dich zwingst, ist das ganze von vornherein zum Scheitern verurteilt. Etwas Erzwungenes wird dich nie natürlich machen. Es muß nicht sein, daß du einen Konflikt hervorrufst. Verstehe: Der menschliche Geist hat die natürliche Fähigkeit zu meditieren, wenn man ihm nur Objekte gibt, die einen Reiz auf ihn ausüben.
Wenn du körperorientiert bist, dann gibt es für dich Wege, über deinen Körper zur Göttlichkeit vorzudringen, denn der Körper ist auch ein Teil des Göttlichen. Wenn du fühlst, daß du deinem Herzen näher bist, ist Gebet für dich das Richtige. Wenn du dich mehr intellektuell orientierst, dann ist Meditation dein Weg.
Aber meine Meditationen unterscheiden sich in gewisser Weise von anderen. Ich habe versucht, Methoden zu finden, die von allen drei Typen gleichermaßen angewendet werden können. Jede beansprucht Körper, Herz und Intelligenz gleichermaßen. Sie werden zu einem Ganzen zusammengefügt, und meine Methoden wirken auf jeden anders.
Körper, Herz, Geist – alle meine Methoden bewegen sich auf demselben Weg. Sie fangen mit dem Körper an, sie gehen durch das Herz, erreichen den Geist – und gehen dann über all das hinaus.

WAS IST MEDITATION?

Wisse, daß alles, was du mit tiefer Freude erlebst, tief in dich eindringen kann – und nur das. Wenn du dich daran freust, bedeutet das einfach, daß es zu dir paßt. Sein Rhythmus paßt sich dir an: es besteht eine feine Harmonie zwischen dir und der Methode. Wenn du eine Meditationstechnik gefunden hast, die dir Freude bereitet, werde nicht gierig danach; gehe, so tief du nur kannst, in diese Meditation hinein.

Du kannst sie einmal am Tag oder, wenn es möglich ist, zweimal am Tag machen. Je öfter du sie machst, desto mehr Spaß wird sie dir bereiten. Laß eine Technik erst dann fallen, wenn du keine Freude mehr daran hast; dann ist ihre Aufgabe beendet. Such nach einer neuen Technik. Keine Technik für sich kann dich ans eigentliche Ende führen. Du wirst auf der Reise viele Male die Züge wechseln müssen. Eine bestimmte Methode führt dich in einen bestimmten Zustand. Darüberhinaus ist sie nicht mehr sinnvoll, sie hat ausgedient.

Zweierlei muß also immer bedacht werden: solange du an einer Methode Spaß findest, gehe so tief wie nur möglich hinein, werde aber nie davon abhängig, denn eines Tages wirst du dich auch von ihr trennen müssen. Wenn du zu sehr von ihr abhängig bist, dann wirkt sie wie ein Droge; du kannst nicht mehr ohne sie sein. Du hast keine Freude mehr daran – sie gibt dir nichts mehr – sie ist zu einer Gewohnheit geworden. Du kannst sie zwar weiterhin ausüben, aber du bewegst dich im Kreis; sie kann dich nicht darüber hinausführen.

Auf deine Freude kommt es an. Wenn die Freude da ist, mache weiter, mache bis zum letzten Funken Freude weiter. Quetsche sie vollständig aus. Lasse kein Fünkchen davon zurück... kein einziges Tröpfchen. Und dann lege sie einfach ab. Suche dir eine andere Methode aus, die dir wieder Freude bringt. Man muß oft wechseln. Es ist bei jedem anders, aber es kommt sehr selten vor, daß es eine Methode für die ganze Reise tut.

Du solltest nicht viele verschiedene Meditationstechniken gleichzeitig anwenden, denn das könnte zu Verwirrung führen, zu Widersprüchen, und das tut weh.

Wähle höchstens zwei Meditationen aus und bleibe bei ihnen. Ja, ich fände es sogar am besten, wenn du dich für eine einzige entscheiden würdest; das wäre das Beste. Es ist besser, eine Methode, die dir paßt, viele Male zu wiederholen.

Dann wird sie tiefer und tiefer in dich eindringen. Du probierst vieles aus – an einem Tag dies, am anderen das, und erfindest deine eigene Methode, aber auf diese Weise stiftest du nur Verwirrung. Im Buch des Tantra werden einhundertundzwölf Meditationen aufgezeigt. Da kannst du ja verrückt werden. Und du bist ja schon verrückt!

Meditationen sind kein Jux. Sie können manchmal gefährlich sein. Du spielst dabei mit einem subtilen, sehr feinen Mechanismus des Verstandes.

Manchmal kann eine Kleinigkeit, die du falsch machst, ohne es zu merken, sehr gefährlich werden. Versuche also nie, selbst zu erfinden, und mache nicht deine eigene

Was ist Meditation?

Misch-Masch-Meditation. Suche dir zwei Meditationen aus und probiere sie einfach mal ein paar Wochen lang.

Schaffe dir einen Platz zum Meditieren

Wenn ich sage: meditiert, weiß ich wohl,
daß durch Meditation niemand ans Ziel kommt;
aber durch Meditation gelangst du an den Punkt,
wo Nicht-Meditation möglich wird.

Was ist Meditation?

Wenn du die Möglichkeit hast, dir einen ganz besonderen Platz zu schaffen – einen kleinen Tempel oder eine Ecke zu Hause, wo du jeden Tag meditieren kannst – dann benutze diesen Winkel zu keinem anderen Zweck als diesem, denn alles, was du tust, hat seine ganz eigenen Schwingungen. Nutze diesen Winkel nur zur Meditation, zu nichts anderem. Dann wird er voller meditativer Schwingungen sein und wird jeden Tag auf dich warten. Dein Winkel wird dir helfen, wird eine bestimmte Schwingung erzeugen, eine bestimmte Atmosphäre, in der du mit immer größerer Leichtigkeit immer tiefer gehen kannst. Das ist der Grund, weshalb Tempel, Kirchen und Moscheen geschaffen wurden – einfach um einen Platz zu haben, zu dem man nur zum Beten und Meditieren hingehen kann.

Wenn du eine bestimmte Meditationsstunde am Tag einhalten kannst, zu der du regelmäßig meditierst, so wird dir das auch helfen, denn dein Körper und Geist sind Mechanismen. Wenn du jeden Tag zur selben Zeit zu Mittag ißt, dann fängt dein Körper genau zu dieser Zeit an, nach dem Essen zu schreien. Manchmal kannst du ihn sogar austricksen. Wenn du es gewohnt bist, um ein Uhr Mittag zu essen, und die Uhr diese Stunde zeigt, dann bist du automatisch hungrig, egal, ob die Uhr falsch geht und es in Wirklichkeit erst elf oder zwölf ist. Du schaust auf die Uhr, es ist eins, und da spürst du plötzlich den Hunger. Dein Körper ist ein Mechanismus.

Dein Geist ist auch ein Mechanismus. Meditiere jeden

Tag am gleichen Ort, zur gleichen Zeit, und so werden dein Körper und dein Geist nach Meditation dürsten. Jeden Tag zu dieser bestimmten Zeit werden dich dein Körper und dein Geist zur Meditation rufen. Es wird sehr hilfreich sein.

So gerätst du in einen Zustand, in dem du nach Meditation hungerst und dürstest.

Am Anfang ist dies eine große Hilfe. Solange du Meditation noch nicht als deinen natürlichen Zustand empfindest, wenn du noch nicht überall, an jedem Ort und zu jeder Zeit meditieren kannst, mache dir die mechanischen Eigenschaften von Körper und Geist zunutze.

Und du kannst dir ein besonderes Klima schaffen: Du machst das Licht aus, steckst deine Räucherstäbchen an, trägst ein besonderes Kleid, fühlst dich besonders, setzt dich in einer ganz bestimmten Haltung auf einen besonderen Teppich. Dies alles hilft, aber ruft es nicht hervor. Einen anderen, der genau das gleiche versucht, mag das alles stören. Jeder muß sein eigenes Ritual herausfinden. Ein Ritual hilft dir ganz einfach, dich wohlzufühlen und zu warten. Und wenn du dich behaglich fühlst und wartest, dann geschieht etwas; genauso wie der Schlaf, so kommt Gott zu dir. Genauso wie Liebe, so kommt Gott zu dir. Du kannst es nicht durch Willenskraft hervorrufen, du kannst es nicht erzwingen.

Sei locker und natürlich

Meditation ist ein Schlüssel.
Er öffnet die Tür zum Mysterium der Existenz.

Man kann auch auf Meditation versessen sein. Und die Versessenheit ist genau das Problem; du warst auf Geld scharf und jetzt bist du aufs Meditieren scharf. Das Geld ist nicht das Problem, die Versessenheit darauf ist das Problem. Du warst auf Geschäfte aus, jetzt bist du auf Gott aus. Der Marktplatz, die Geschäfte, sind nicht das Problem; das Problem ist die Versessenheit. Man sollte locker und natürlich sein, nicht versessen auf irgendetwas, weder auf Geschäftigkeit noch auf Meditation. Nur dann, wenn du mit nichts beschäftigt bist, wenn du auf nichts versessen bist, wenn du ganz einfach mit dem fließt, was ist, nur dann geschieht dir das Höchste.

Morgendämmerung
Lachen, Bewegung, Katharsis

Alle Meditationen sind subtile Methoden,
um euch betrunken zu machen –
um euch zu Trinkern des Göttlichen zu machen.

Lachmeditation

Als allererstes am Morgen sollte man lachen, denn das gibt den Ausschlag für den Verlauf und die Stimmung des ganzen Tages. Wenn du lachend erwachst, fühlst du, wie absurd das Leben ist. Nichts ist todernst: selbst deine ganzen Enttäuschungen sind lachhaft, sogar deine Schmerzen sind lächerlich, sogar du selbst bist lächerlich.

Räkele und strecke dich jeden Morgen gleich nach dem Aufwachen, noch bevor du die Augen aufmachst, wie eine Katze. Dehne jede Faser deines Körpers. Nach drei oder vier Minuten, die Augen immer noch geschlossen, fängst du zu lachen an. Am Anfang wirst du es noch absichtlich machen müssen, aber schon bald wird dich das Erzwungene daran zu wirklichem Lachen reizen. Verliere dich ganz im Lachen. Mag sein, daß es erst nach ein paar Tagen wirklich von selbst passiert; wir sind mit dem Phänomen so wenig vertraut. Aber es wird nicht lange dauern, dann wird das Lachen ganz spontan, und das wird die Stimmung deines ganzen Tages verändern.

Für Leute, die Schwierigkeiten haben, beim Lachen total dabei zu sein, oder die das Gefühl haben, daß ihr Lachen nicht echt ist, schlägt Osho folgende einfache Methode vor:

Ganz früh am Morgen, noch bevor du etwas gegessen hast, trinke möglichst einen Eimer voll Wasser – lauwarm, mit Salz. Trinke es in einem Zug, und zwar schnell, denn sonst kannst du nicht viel trinken. Dann beuge dich vor und gurgle, so daß das Wasser wieder herausfließt. Du erbrichst also das Wasser wieder – und dies reinigt Speiseröhre und Magen. Sonst ist nichts nötig. Du hast dort eine Blockade, der dich am Lachen hindert. Beim Yoga ist dies eine notwendige und vorgeschriebene Prozedur. Die Yogis nennen es „notwendige Reinigung". Es reinigt ungeheuer und macht die Wege frei – alle Blockaden werden aufgelöst. Es wird dir angenehm sein und du wirst den ganzen Tag über dieses reine Gefühl behalten. Dein Lachen und deine Tränen, und selbst dein Sprechen, alles wird von ganz tief aus deinem Zentrum kommen.

Mache es zehn Tage lang und du wirst der beste Lacher weit und breit sein!

MORGENDÄMMERUNG

Die Meditation des goldenen Lichts

Meditation ist eine Arznei. Es ist die einzige Medizin, die es gibt. Vergiß also deine Probleme, gehe einfach in die Meditation hinein.

Dies ist eine einfache Methode, deine Energien umzuwandeln und sie nach oben zu führen. Diese Meditation sollte mindestens zweimal täglich gemacht werden.
Die beste Zeit dafür ist der frühe Morgen, kurz bevor du aufstehst. Sobald du zu dir gekommen und hellwach bist, fange damit an und mache sie zwanzig Minuten lang. Mache sie auf der Stelle, sofort nach dem Aufwachen, denn gerade wenn du aus dem Schlaf kommst, bist du sehr sehr empfindsam und aufnahmefähig. Wenn du gerade aus dem Schlaf kommst, bist du ganz frisch, und diese Meditation kann ganz tief wirken. In diesem Zustand gleich nach dem Schlaf bist du weniger denn je in deinem Kopf, und so sind Lücken da, durch die hindurch diese Meditation bis in deinen innersten Kern hineinwirken kann. Und früh am Morgen, wenn du aufwachst und wenn die ganze Welt aufwacht, gibt es eine große Flut von aufsteigender Energie, überall auf der ganzen Welt – nutze diese Flut, lasse dir diese Gelegenheit nicht entgehen.
Alle alten Religionen schrieben Gebete bei Sonnenaufgang vor, denn wenn die Sonne aufgeht, erwachen alle Energien der Schöpfung. In diesem Moment kannst du ganz einfach auf der aufsteigenden Energiewelle reiten; das ist einfacher. Abends ist es dann schwieriger, zu dieser

Zeit fallen alle Energien zurück, und du müßtest gegen den Strom ankämpfen. Am Morgen kannst du mit dem Strom schwimmen.
Du bleibst also einfach im Bett auf dem Rücken liegen. Halte die Augen geschlossen. Beim Einatmen stelle dir eine große Flut von Licht vor, die durch deinen Kopf in den Körper eintritt, so als wäre die Sonne ganz nahe vor deinem Kopf aufgegangen. Du bist ganz hohl und das goldene Licht ergießt sich in deinen Kopf und es fällt und fällt, ganz tief, und tiefer, bis es durch deine Zehenspitzen wieder hinausgeht. Atme mit dieser Vision ein. Das goldene Licht hilft. Es reinigt deinen ganzen Körper und erfüllt dich von oben bis unten mit Kreativität. Dies ist die männliche Energie.
Und wenn du ausatmest, dann stelle dir folgendes vor: Dunkelheit, die durch deine Zehenspitzen in den Körper eintritt, ein großer dunkler Strom, der durch deine Zehen hereinfließt, aufwärts bis zum Kopf, und wieder aus dem Kopf hinaus. Atme ganz langsam und tief, damit du es dir vorstellen kannst. Dies ist die weibliche Energie. Sie wird dich sanft machen, sie wird dich empfänglich machen und ruhig, sie wird dich ganz entspannen. Tue es ganz langsam – und wenn du gerade aus dem Schlaf kommst, kannst du sehr tiefe und langsame Atemzüge machen, weil dann der Körper ausgeruht und entpannt ist.
Die zweitbeste Zeit für diese Meditation ist kurz vor dem Schlafengehen. Lege dich aufs Bett, entspanne dich einige Minuten lang. Wenn du spürst, daß du dich jetzt

zwischen Wachsein und Schlafen befindest, genau in dem Übergangszustand, dann gehe genauso vor wie am Morgen. Wieder zwanzig Minuten lang. Wenn du darüber einschläfst, ist es am besten, denn so wird diese Meditation ins Unterbewußtsein eindringen und dort weiter wirken.

Wenn du diese einfache Methode über die Dauer von drei Monaten machst, wirst du erstaunt sein – ohne daß du irgendetwas zu unterdrücken brauchst, hat die Transformation angefangen.

Warten auf den Sonnenaufgang

Eine Viertelstunde vor Sonnenaufgang, wenn der Himmel langsam heller wird, setz dich hin und warte und halte Ausschau, als würdest du auf den Geliebten warten: so gespannt, so voller Erwartung, so voller Hoffnung, so aufgeregt – und trotzdem still. Und laß die Sonne aufgehen und beobachte weiter. Du brauchst nicht zu starren; du kannst ruhig die Augenlider bewegen. Fühle, wie gleichzeitig etwas auch in dir aufgeht.

Wenn die Sonne am Horizont erscheint, dann fühle sie ganz nahe an deinem Bauchnabel: dort drüben geht sie auf; und hier, innerhalb des Bauchnabels, geht sie auch auf, geht sie ganz, ganz langsam auf. Die Sonne geht dort draußen auf, und hier in dir steigt ein innerer Lichtpunkt auf. Zehn Minuten sind schon genug. Dann mache die Augen zu. Wenn du die Sonne zunächst mit geöffneten Augen siehst, dann entsteht ein Negativ, und so siehst du, wenn du dann die Augen schließt, die blendend helle Sonne in deinem Inneren.

Und dies wird dich enorm verändern.

Hymne an die aufgehende Sonne

Stehe um fünf Uhr auf, vor Sonnenaufgang, und singe, summe, stöhne, seufze, eine halbe Stunde lang. Diese Geräusche brauchen keine Bedeutung zu haben; sie sollen existentiell sein, nicht sinnvoll. Es muß dir Spaß machen, das ist alles – das ist der Sinn. Am besten wiegst du deinen Körper hin und her. Laß es eine Lobpreisung der aufgehenden Sonne sein, und höre erst auf, wenn die Sonne aufgegangen ist.

Dadurch bekommt der ganze Tag einen gewissen inneren Rhythmus. Du hast dich vom frühesten Morgen an eingestimmt, und du wirst sehen, daß der Tag einen vollkommen anderen Charakter hat; du bist liebevoller, behutsamer, mitfühlender, freundlicher – weniger heftig, weniger ärgerlich, weniger ehrgeizig, weniger egoistisch.

Dauerlauf, Jogging und Schwimmen

Dies ist die ganze Kunst des Meditierens: sich tief ins Tun zu versenken, das Denken aufzugeben, und die Energie, die zum Denken gebraucht wurde, in Bewußtheit umzuwandeln.

Es ist natürlich und leicht, wach zu bleiben, während man in Bewegung ist. Wenn du nur still dasitzt, schläfst du leicht ein. Wenn du auf deinem Bett liegst, ist es sehr schwierig, wach zu bleiben, weil die ganze Situation zum Einschlafen einlädt. Wenn du aber in Bewegung bist, kannst du beim besten Willen nicht einschlafen, du funktionierst viel bewußter. Der einzige Nachteil ist, daß die Bewegung mechanisch werden kann.

Lerne Körper, Geist und Seele ineinander fließen zu lassen. Versuche, als Einheit zu funktionieren.

Läufer machen oft diese Erfahrung. Du kannst dir vielleicht nicht vorstellen, daß Laufen eine Meditation sein kann, aber Läufer machen beim Laufen manchmal eine gewaltige meditative Erfahrung. Und sie werden davon überrascht, weil sie nicht darauf aus waren – wer denkt schon daran, daß man beim Laufen Gott erfahren wird? Aber es kommt vor. Und heutzutage wird das Laufen mehr und mehr zu einer neuen Art von Meditation.

Es kann beim Laufen geschehen. Wenn du jemals einen Waldlauf gemacht hast, wenn du je einen Dauerlauf am frühen Morgen genossen hast, wenn die Luft frisch und jung ist und die ganze Welt vom Schlaf erwacht und zurückkehrt – du bist gerannt und dein Körper hat wunderbar funktioniert, die frische Luft, die neue Welt, die wieder aus der Dunkelheit der Nacht geboren wurde, alles um dich her singt, du hast dich so voller Leben gefühlt... es kommt ein Augenblick, in dem der Läufer verschwindet, und es ist nur noch das Laufen da. Körper, Geist und Seele wirken zusammen als eine Einheit: plötzlich explodiert ein innerer Orgasmus.

Es kommt ab und zu vor, daß Läufer durch Zufall die Erfahrung der „turyia", der vierten Bewußtseinsebene machen; und zwar ohne es überhaupt zu merken – sie meinen, daß die Freude in diesem Augenblick vom Laufen kommt: sie denken, es war ein schöner Tag, der Körper war gesund und die Welt war wunderschön, und es war einfach eine ganze bestimmte Stimmung. Sie nehmen gar keine Notiz davon – aber wenn sie einmal darauf aufmerksam werden, dann kommen Läufer nach meiner Beobachtung leichter als irgendjemand sonst an Meditation heran.

Jogging kann eine enorme Hilfe sein, Schwimmen kann enorm helfen. All diese Dinge müssen zu Meditationen umgewandelt werden.

Vergiß die alten Vorstellungen vom Meditieren – daß man nur meditiert, wenn man in einer Yoga-Stellung unter einem Baum sitzt. Das ist nur eine Spielart von vielen und mag für ein paar Leute richtig und passend sein, aber sie paßt nicht für jeden. Für ein kleines Kind wäre das keine Meditation, sondern Folterung. Für einen quicklebendigen jungen Mann wäre es Unterdrückung, nicht Meditation.

Laufe morgens auf dem nächstbesten Weg. Fange mit siebenhundertundfünfzig Metern an, dann fünfzehnhundert Meter, und dann steigere dich langsam auf mindestens viertausendfünfhundert Meter. Laufe mit dem ganzen Körper. Lauf nicht wie in einer Zwangsjacke. Laufe wie ein kleines Kind, renne mit dem ganzen Körper, mit Händen und Füßen. Atme tief aus dem Bauch ein und aus. Dann setze dich unter einen Baum, ruhe dich aus, schwitze dich aus und laß die kühle Brise über dich wehen; fühle dich friedvoll. Das wird sehr tief auf dich einwirken.

Bleibe von Zeit zu Zeit einfach barfuß auf der Erde stehen und fühle die Kühle, die Weichheit, die Wärme. Was immer die Erde gerade geben möchte, fühle es einfach und laß es durch dich hindurchströmen. Und laß deine Energie in die Erde hineinfließen. Fühle dich mit der Erde verbunden.

Wenn du mit der Erde verbunden bist, bist du mit dem Leben verbunden. Wenn du mit der Erde verbunden bist, bist du mit deinem Körper verbunden. Wenn du mit der Erde verbunden bist, wirst du sehr empfindsam und ausgewogen – und das ist es, worauf es ankommt.

Mache keinen Laufprofi aus dir; bleibe ein Amateur, so daß deine Sinne wach bleiben.

Sobald du das Gefühl hast, daß das Laufen automatisch geworden ist, hör damit auf; versuche es mit Schwimmen.

Wenn das auch automatisch wird, mit Tanzen. Vergiß nicht, daß es nur darauf ankommt, mit Hilfe von Bewegung eine Situation herzustellen, die Wachheit hervorruft. Solange es dich bewußt macht, ist es gut. Wenn es dich nicht mehr bewußt macht, dann hat es keinen Zweck mehr, dann gehe zu einem anderen Bewegungsablauf über, bei dem du wieder hellwach sein mußt; lasse keine Routine aufkommen.

„Ich habe einen Kniff gefunden"

Das Denken ist ein Dorn und alle Meditationstechniken sind Dornen, die diesen ersten Dorn herausholen.

Der Verstand nimmt alles äußerst ernst, und Meditieren ist absolut unernst. Wenn ihr das hört, seid ihr vielleicht erstaunt, denn im allgemeinen reden die Leute sehr ernst über Meditation. Aber Meditation ist wirklich keine ernste Sache. Sie ist genau wie Spielen – nicht ernst gemeint. Ehrlich, aber nicht ernst. Sie ist nicht wie Arbeit; sie ist mehr wie Spiel. Spielen ist keine Beschäftigung. Selbst wenn du mit Spielen beschäftigt bist, ist es keine Beschäftigung. Spielen ist einfach ein Vergnügen. Das, was du tust, zielt auf nichts Bestimmtes ab; es steckt keine Motivation dahinter. Stattdessen ist es reine, fließende Energie.

Aber das ist nicht so leicht, denn wir sind sehr mit ernsten Aufgaben beschäftigt. Unser ganzes Leben lang hatten wir „zu tun", und das ist zu einer tiefsitzenden Neurose geworden. Wir haben sogar im Schlaf „zu tun". Selbst wenn wir ans Entspannen denken, gibt uns das „zu tun". Wir machen sogar aus der Entspannung eine Beschäftigung; wir strengen uns an, uns zu entspannen. Das ist widersinnig! Schuld daran ist die Gewohnheit des Kopfes, wie ein Computer zu funktionieren.

Was also tun? Nur, wenn du nicht aktiv bist, kommst du in dein Zentrum, aber der Verstand, kann sich nicht vorstellen, wie er unbeschäftigt sein kann. Was also tun?

Ich habe einen Kniff gefunden. Und dieser Kniff besteht darin, so extrem aktiv zu sein, daß die Aktivität einfach stillsteht; so wahnsinnig aktiv zu sein, daß der nach Aktivität dürstende Verstand einfach außer Gefecht gesetzt wird. Nur dann, nach einer tiefen Katharsis, nach einem heftigen Gefühlsausbruch, kannst du dich in die Inaktivität hineinfallen lassen und einen kleinen Einblick in die Welt gewinnen, die nicht die Welt der Anstrengungen ist.

Wenn du diese Welt einmal kennst, dann kannst du mühelos in sie hineingehen. Wenn du erst einmal ein Gefühl davon hast – das Gefühl dafür, im Hier und Jetzt zu sein, ohne irgendetwas zu tun – dann kannst du jederzeit da hineingehen, kannst du überall darin verharren. Und eines Tages kannst du nach außen hin aktiv und im Inneren zutiefst untätig sein.

Kathartische Methoden sind moderne Erfindungen. Zu Buddhas Zeiten waren sie nicht nötig, denn die Menschen lebten nicht so unterdrückt. Sie waren natürlich, ihr Leben war ursprünglich – es war nicht zivilisiert, es war spontan. Also gab Buddha den Menschen gleich zu Anfang die Vipassana-Meditation – Vipassana heißt Einsicht oder Intuition. Aber heutzutage ist es nicht mehr möglich, mit Vipassana in die Meditation einzusteigen. Und die Lehrer, die Vipassana immer noch für den Anfang empfehlen, gehören nicht in dieses Jahrhundert, sie sind zweitausend Jahre zurück. Ja, vielleicht können sie manchmal ein oder zwei Leuten unter hundert weiterhelfen, aber damit ist nicht viel getan. Ich führe zu Beginn die kathartischen

Methoden ein, damit erst einmal alle eure Zivilisationsschäden beseitigt werden und ihr wieder ursprünglich werden könnt.
Aus dieser Ursprünglichkeit heraus, aus dieser kindlichen Unschuld heraus, wird Einsicht ohne weiteres möglich.

Osho Dynamische Meditation
Die tägliche Morgenmeditation

Holzfäller oder Steinhauer brauchen keine kathartische Meditation – sie machen sie den ganzen Tag lang. Aber wer ist heute schon noch Holzfäller?

Wenn du aufwachst, wird die ganze Natur lebendig; die Nacht ist vorbei, die Dunkelheit ist gewichen, die Sonne steigt auf, und alles wird bewußt und wach. Die Dynamische Meditation ist eine Meditation, in der du ständig wach, bewußt, klar sein mußt, bei allem, was du tust. Bleibe Zeuge. Verliere dich nicht.

Es ist leicht, sich zu verlieren. Während der Atemphase kann es dir leicht passieren, daß du dich vergißt. Du kannst so sehr eins mit dem Atmen werden, daß du vergißt, Zeuge zu bleiben. Aber damit entgeht dir das Wesentliche. Atme so schnell wie du nur kannst; setze deine ganze Kraft ein, bleibe aber dennoch Beobachter. Beobachte, was passiert, als wärest du ein Zuschauer, so als würde das alles nur im Körper geschehen, aber dein Bewußtsein schaut zu und bleibt einfach zentriert.

Während aller drei Phasen mußt du Zeuge bleiben. Und wenn alles plötzlich aufhört, nämlich in der vierten Phase, wo du ganz und gar untätig werden sollst, wie eingefroren, dann erreicht diese Wachheit ihren Höhepunkt.

Die Dynamische Meditation dauert eine Stunde lang und hat fünf Phasen. Man kann sie alleine machen, aber die Energie wird viel stärker, wenn du sie mit einer Gruppe von Leuten machst. Sie ist eine ganz persönliche Erfahrung, deshalb solltest du während der ganzen Meditation alle anderen um dich herum total vergessen und deine Augen geschlossen halten; am besten ist eine Augenbinde. Mache die Dynamische mit nüchternem Magen und trage dabei bequeme, weite Kleidung.

Erste Phase: 10 Minuten
Atme chaotisch durch die Nase; konzentriere dich auf das Ausatmen. Für die Einatmung sorgt der Körper von selbst. Atme so schnell und so heftig wie du nur kannst – und dann noch ein bißchen heftiger, so lange, bis du buchstäblich selbst das Atmen bist. Nutze deine natürlichen Körperbewegungen dazu, deine Energie aufzubauen. Fühle, wie sie zunimmt, aber erlaube ihr nicht, sich schon in der ersten Phase auszutoben.

Zweite Phase: 10 Minuten
Explodiere! Lasse alles raus, was ausbrechen will. Werde total verrückt, schreie, kreische, heule, hüpfe, schüttle dich, tanze, singe, lache, tobe herum. Halte nichts zurück, halte deinen ganzen Körper in Bewegung. Ein bißchen Schauspielerei kann dir anfangs helfen hineinzukommen. Erlaube deinem Kopf auf keinen Fall, in das Geschehen einzugreifen. Sei total.

Dritte Phase: 10 Minuten
Springe mit erhobenen Armen auf und ab und rufe dabei das

Mantra HUH! HUH! HUH! HUH!, so tief aus dem Bauch heraus, wie es nur geht. Jedesmal, wenn du auf deinen Füßen landest, und zwar mit der ganzen Sohle, lasse diesen Ton in dein Sexzentrum hineinhämmern. Gib alles, was du hast, erschöpfe dich total.

Vierte Phase: 15 Minuten
Stop! Friere auf der Stelle ein, haargenau in der Position, in der du dich gerade befindest. Mach keinerlei Körperkorrekturen. Ein Husten, die kleinste Bewegung oder sonst etwas, und schon fließt die Energie ab und alle Mühe war umsonst. Beobachte alles, was dir passiert.

Fünfte Phase: 15 Minuten
Sei ausgelassen, gehe mit der Musik, tanze, drücke deinen Dank an die Schöpfung aus und nimm dein Glücksgefühl mit in den Tag.
Wenn du dort, wo du meditierst, keinen Lärm machen darfst, dann gibt es noch eine stille Version: Anstatt die Emotionen herauszuschreien, lasse in der zweiten Phase die Katharsis allein durch die Bewegungen deines Körpers geschehen. In der dritten Phase kannst du den Ton „HUH" lautlos nach innen hämmern, und die fünfte Phase kann ein Ausdruckstanz werden.

Zwei Hunde sahen ein paar Leuten bei der Dynamischen Meditation zu; da hörte ich, wie der eine Hund zu dem anderen sagte: „Wenn ich das machen würde, würde mir mein Herrchen Pillen gegen Würmer geben."

Irgendjemand hat einmal gesagt, daß die Meditationen, die wir hier machen, der reine Wahnsinn sind. Das stimmt. Und zwar sind sie das aus einem ganz bestimmten Grund – der Wahnsinn hat nämlich Methode; er ist ganz bewußt gewählt.

Vergiß nicht – du kannst nicht absichtlich verrückt werden. Wahnsinn ergreift Besitz von dir. Nur so kannst du überhaupt verrückt werden. Wenn du absichtlich verrückt wirst, ist das etwas völlig anderes. Im Grunde hast du dich unter Kontrolle, und einer, der sogar seine Verrücktheit in der Hand hat, wird niemals wirklich dem Wahnsinn verfallen.

Osho spricht über einige der Körperreaktionen, die durch die tiefe Katharsis der Dynamischen Meditation auftreten können:

Wenn du Schmerz fühlst, beobachte ihn aufmerksam, versuche nicht, etwas dagegen zu tun. Aufmerksamkeit ist das große Schwert – es durchschneidet alles. Richte ganz einfach deine Aufmerksamkeit auf den Schmerz.

Ein Beispiel: Du sitzt während der letzten Phase der Meditation still da, ganz unbeweglich und spürst viel Unbehagen im Körper. Du spürst, wie dein Bein einschläft, spürst ein Jucken in der Hand, hast das Gefühl, daß Ameisen auf dir herumkrabbeln. Wie oft hast du schon nachgeschaut, aber keine Ameisen gefunden. Das Krabbeln ist innen, nicht außen. Was sollst du tun? Du spürst, wie dein Bein einschläft? – Beobachte, richte einfach deine ganze Aufmerksamkeit darauf. Du fühlst einen Juckreiz? – Kratze nicht. Das hilft nicht. Widme ihm ganz einfach deine Aufmerksamkeit. Öffne noch nicht einmal deine Augen. Wende deine Aufmerksamkeit nur innerlich darauf und warte und beobachte. Innerhalb von Sekunden wird der Juckreiz verschwunden sein. Was auch immer geschieht – etwa wenn du Schmerzen hast, starke Schmerzen im Magen oder im Kopf – es geschieht, weil sich beim Meditieren der ganze Körper verändert. Die gesamte Körperchemie verändert sich. Neues kommt hoch und der Körper ist in einem Chaos. Manchmal ist der Magen betroffen, denn im Magen sitzen viele unterdrückte Emotionen, die bei der Meditation aufgewühlt werden. Manchmal kann dir schlecht werden, und du glaubst, du mußt dich erbrechen. Es kann auch sein, daß du starke Kopfschmerzen kriegst, weil die Meditation die innere Struktur deines Gehirns verändert. Wenn du den Meditationsprozeß durchmachst, bist du wirklich im Chaos. Aber bald wird sich alles einrenken. Fürs erste aber gerät alles in Aufruhr.

Was sollst du also tun? Du siehst ganz einfach den Schmerz im Kopf, du beobachtest ihn. Sei ein Beobachter. Vergiß einfach, daß du der Agierende bist, und nach und nach löst sich der Schmerz auf und zwar auf eine so wunderschöne und anmutige Weise, daß du es nicht glauben würdest, wenn du es nicht selbst erlebt hättest. Nicht nur wird der Schmerz im Kopf verschwinden – denn die Energie, die den Schmerz hervorruft, verschwindet, sobald du deine Aufmerksamkeit auf sie richtest, und genau dann wird diese Energie zur Freude. Sie ist dieselbe Energie. Schmerz und Freude sind die zwei Dimensionen der gleichen Energie. Wenn du still sitzenbleiben kannst und auf alle Ablenkungen achtgibst, dann verschwinden alle Ablenkungen. Und wenn alle Ablenkungen fort sind, wirst du dir plötzlich bewußt, daß es den Körper nicht mehr gibt.

Osho hat davor gewarnt, das Beobachten des Schmerzes in Fanatismus ausarten zu lassen. Wenn unangenehme körperliche Symptome – Schmerzen oder Übelkeit – nach drei oder vier Tagen Meditation andauern, quäle dich nicht – gehe zum Arzt. Dies gilt für alle Meditationstechniken Oshos. Sie sollen Spaß machen!

Osho Mandala Meditation

Dies ist eine andere kathartische Methode. Sie stellt einen Energiekreislauf her, der dich auf natürliche Weise in deine Mitte bringt. Diese Meditation hat vier Phasen von je 15 Minuten.

Erste Phase: 15 Minuten
Laufe mit offenen Augen auf der Stelle, fange langsam an und werde allmählich schneller und schneller. Zieh die Knie so weit an wie möglich. Wenn du tief und gleichmäßig atmest, geht die Energie nach innen. Vergiß den Kopf und vergiß den Körper. Mache weiter.

Zweite Phase: 15 Minuten
Setze dich hin, schließe die Augen, der Mund ist entspannt und leicht geöffnet. Bewege deinen Körper ganz sanft von der Taille aus im Kreis, wie ein Schilfrohr im Wind. Fühle, wie dich der Wind von einer Seite auf die andere weht, vor und zurück, im Kreis herum. Dies lenkt deine eben geweckten Energien zum Nabelzentrum.

Dritte Phase: 15 Minuten
Lege dich auf den Rücken, öffne die Augen und kreise mit den Augen im Uhrzeigersinn, ohne den Kopf dabei zu bewegen. Lasse sie ganz in den Augenhöhlen herumrollen, als ob sie dem Sekundenzeiger einer riesigen Uhr folgen würden, und zwar so schnell du kannst. Es ist wichtig, daß der Mund offen bleibt und der Unterkiefer entspannt, und daß der Atem weich und gleich-

mäßig geht. Dies bringt deine zentrierten Energien zum dritten Auge.

Vierte Phase: 15 Minuten
Schließe die Augen und bleibe still liegen.

Warum Katharsis?

Ich kann euch nicht den Himmel schenken. Deshalb führen alle meine Meditationstechniken zuerst durch die Hölle.

Vergiß einmal sechzig Minuten lang die ganze Welt um dich. Laß die Welt um dich verschwinden, und verschwinde du von der Welt. Mache ein totale Kehrtwendung, eine Drehung um 180 Grad, und schau nach innen. Anfangs wirst du nur Wolken sehen. Laß dich von ihnen nicht beunruhigen; diese Wolken sind Symptome deiner Verdrängungen, von allem, was du unterdrückt hast. Du wirst auf Ärger stoßen, auf Haß, Gier und auf alle möglichen schwarzen Löcher. Dies alles hast du ständig unterdrückt, also ist es da. Und eure sogenannten Religionen haben euch beigebracht, sie zu unterdrücken, und jetzt sind sie da wie Wunden. Du hast sie dein ganzes Leben lang versteckt.

Deshalb lege ich für den Anfang so viel Wert auf Katharsis. Solange du noch keine große Katharsis durchgemacht hast, mußt du einen langen Weg durch viele Wolken gehen. Das ist ermüdend, und du wirst dabei vielleicht so ungeduldig, daß du dich wieder der Welt zuwendest. Und du wirst behaupten: „Da ist gar nichts. Es gibt keinen Lotos, keinen Duft, alles nur Gestank, Abfall."

Du weißt es. Wenn du deine Augen zumachst und nach innen gehst, was begegnet dir dann alles?

Du stößt nicht auf die lieblichen Regionen, von denen die

Buddhas erzählen. Du stößt auf Höllen, auf Todesängste. Sie sind alle da drinnen eingesperrt, und warten auf dich. Die gesammelte Wut vieler vergangener Leben. Da drinnen ist das totale Durcheinander, deshalb geht man erst lieber gar nicht hinein. Man geht lieber ins Kino, in den Klub, wo man Leute treffen und klatschen kann. Man hält sich am liebsten solange auf Trab, bis man müde ist und ins Bett fällt. So lebt ihr, das ist euer Lebensstil.

Wenn du also anfängst, in dich hineinzuschauen, dann bist du natürlich verwirrt. Die Buddhas erzählen, daß man große Seligkeit findet, einen unbeschreiblichen Duft, daß man blühende Lotosblumen sieht, und daß dieser Duft ewig ist. Und die Farben dieser Blumen sind immer frisch; sie verblassen nie. Sie erzählen von diesem Paradies, sie erzählen von diesem Reich Gottes, das du in dir hast. Aber wenn du nach innen schaust, siehst du nichts als Hölle.

Du siehst keine Buddha-Landschaften, du siehst Adolf Hitlers Konzentrationslager. Natürlich denkst du dann, daß dies alles Blödsinn ist, daß es besser ist, nicht nach innen zu schauen. Warum immer wieder in deinen Wunden wühlen? – es tut so weh. Und Eiter quillt aus den Wunden heraus und ist schmutzig.

Aber die Katharsis hilft. Wenn du eine Katharsis erlebst, wenn du chaotische Meditationen machst, vertreibst du damit all die Wolken und dunklen Löcher, und danach fällt es dir leichter, aufmerksam und wach zu sein.

Das ist der Grund, warum ich zunächst auf chaotische

Meditationen Wert lege, und erst danach stille Meditationen empfehle. Anfangs aktive, und später passive Meditationen. Du kannst erst dann in die Passivität gehen, wenn du dein inneres Gerümpel hinausgeworfen hast. Die Wut ist raus, die Gier ist raus... das alles war da, Schicht für Schicht. Aber wenn du das alles erst einmal hinausgeworfen hast, ist es leicht, nach innen zu schlüpfen. Nichts steht dir mehr im Weg.

Und dann plötzlich das strahlende Licht des Buddha-Landes. Und plötzlich bist du in einer ganz anderen Welt – in der Welt des Lotos-Gesetzes, der Welt des *Dhamma*, der Welt des *Tao*.

Kissen schlagen

Wenn du wütend bist, brauchst du deine Wut nicht an einem anderen auszulassen; sei einfach wütend. Mache eine Meditation daraus. Mach die Tür hinter dir zu, setze dich ganz ruhig hin und lasse die Wut hochkommen, so stark es nur geht.
Wenn dir nach Prügeln zumute ist, dann verprügele ein Kissen.
Tu, was dir gerade einfällt; das Kissen hat nichts dagegen. Wenn du es umbringen willst, nimm ein Messer und bringe es um! Das hilft, es hilft unendlich viel. Man kann sich nicht vorstellen, wie hilfreich ein Kissen sein kann. Verprügele es, beiße es, schmeiß' es an die Wand. Wenn du auf eine bestimmte Person wütend bist, dann schreibe ihren Namen auf das Kissen oder klebe sein Foto darauf. Du wirst dir lächerlich vorkommen, idiotisch, aber Wut ist lächerlich; daran kann man nichts ändern. Laß es also wie es ist, und genieße das ganze als ein Energie-Phänomen. Es ist ein Energie-Phänomen. Wenn du niemanden dabei verletzt, ist nichts Unrechtes daran. Wenn du es ausprobierst, wirst du feststellen, daß der Wunsch, jemanden zu verletzen, nach und nach verschwindet.
Mache es jeden Tag, zwanzig Minuten am Morgen. Und dann beobachte, wie du dich den Tag über fühlst. Du wirst dich ruhiger fühlen, weil die Energie, die zu Wut wird, hinausgeworfen wurde; die Energie, die dich vergiftet, ist aus deinem System entfernt. Mache diese Übung

mindestens zwei Wochen lang, und schon nach einer Woche wirst du überrascht feststellen, daß – in welcher Situation auch immer – keine Wut mehr aufkommt. Den Versuch ist es wert.

Bellen, Knurren, Atmen

Meditation beginnt mit Katharsis und endet mit Jubel.

Es ist schwierig, mit der Wut direkt zu arbeiten; häufig ist sie ganz tief verdrängt. Geh sie also indirekt an. Rennen ist ein gutes Mittel, Wut und Angst aufzulösen. Wenn du eine ganze Weile rennst und dabei tief atmest, hört das Denken auf, und der Körper beherrscht die Szene.
Es gibt da eine kleine nützliche Übung: Wenn du nicht richtig durch den Bauch atmest, sondern irgendwie flach bleibst, dann renne herum und lechze dabei wie ein Hund. Laß deine Zunge heraushängen und laufe und keuche wie ein Hund.
Das öffnet die Atemwege; wenn man dort irgendwie blockiert ist, kann Keuchen ungeheuer helfen. Nach einer halben Stunde Keuchen wird die Wutenergie wunderbar in Gang kommen und die ganze Körperenergie mitreißen.
Das kannst du also ab und zu in deinem Zimmer ausprobieren. Du kannst auch einen Spiegel hernehmen und dich anbellen und anknurren. Innerhalb von drei Wochen merkst du, daß du an die tieferen Schichten herankommst. Hat sich die Wut erst einmal entspannt, verflüchtigt, fühlst du dich frei.

Am Morgen
Feiern, Spielen, Arbeiten

Meditation ist Leben.
Nicht meditativ sein, heißt, nicht leben.

Musik und Tanz

Musik ist Meditation – kristallisiert in einer bestimmten Dimension. Meditation ist Musik – ins Dimensionslose aufgelöst. Sie sind nicht zweierlei.
Wenn du Musik liebst, dann nur deshalb, weil du fühlst, daß sie irgendwie eine meditative Atmosphäre verbreitet. Du gehst in ihr auf, du wirst betrunken in ihr. Etwas aus dem Unbekannten senkt sich über dich... Gott flüstert dir etwas zu. Dein Herz schlägt in einem anderen Rhythmus, es schlägt im Einklang mit dem Universum. Du bist auf einmal in einem tiefen Orgasmus mit dem Ganzen, mit dem All. Ein leises Tanzen kommt in dein Wesen, und Türen, die sonst immer verschlossen waren, öffnen sich nun. Eine unbekannte Brise durchweht dich; der Staub von Jahrhunderten wird weggeweht. Du fühlst dich, als hättest du ein Bad genommen, ein spirituelles Bad; du hast eine Dusche genommen – du fühlst dich rein, frisch, jungfräulich.
Musik ist Meditation; Meditation ist Musik. Dies sind die beiden Türen, die sich zu ein und demselben Phänomen hin öffnen.

Tanz Celebration

Millionen von Menschen lassen sich die Meditation entgehen, weil sie einen falschen Beigeschmack bekommen hat. Dieses Bild, das sie von der Meditation haben, ist sehr ernsthaft, sieht sehr düster aus, hat irgendetwas von Kirche an sich; so als wäre sie nur etwas für tote oder scheintote Leute, die düster und ernst dreinblicken und lange Gesichter machen – die jeden Sinn für Festlichkeit, Spaß, Spielerei und Freude verloren haben.

Wenn ein wütender Mensch an der Tanz Celebration teilnimmt, wird auch sein Tanz die Wut ausdrücken.
Ihr könnt es beobachten, ihr könnt sehen, wie jede Art zu tanzen eine andere Stimmung ausdrückt. Der Tanz des einen ist wie ein Wutanfall – seine Bewegungen, seine Gebärden, drücken seine Wut aus. Ein anderer tanzt mit Anmut, die Liebe fließt, der Tanz hat etwas Elegantes an sich. Wieder ein anderer tanzt sein Mitgefühl. Ein anderer drückt Ekstase aus. Der nächste tanzt ganz stumpf und fade; nicht als leere Gebärden, hinter denen niemand steckt – alles an ihm ist mechanisch. Schaut zu. Woher diese Unterschiede? – aus den ganz verschiedenen Schichten von Verdrängung, die in allen verborgen sind. Wenn du tanzt, dann tanzt auch deine Wut, sofern welche da ist. Wohin soll sie denn gehen? Je mehr du tanzt, desto mehr tanzt auch deine Wut. Wenn du voller Liebe bist, und du fängst an zu tanzen, dann fängt deine Liebe an überzufließen – sie wird

mit dir und um dich herum tanzen, sie wird im ganzen Raum tanzen. Dein Tanz ist immer das, was du bist, enthält das, was in dir enthalten ist. Wenn du sexuell unterdrückt bist, dann wird dein Sex hochsprudeln, wenn du tanzt.
Du mußt zuerst durch die Katharsis hindurch, du kannst nicht den direkten Weg wählen. Erst wenn alles Gift aus dir entfernt und der Rauch verweht ist, können Methoden wie die Tanz Celebration zu Einsichten oder Seligkeit führen.

Dies sind die Eigenschaften der Meditation. Ein wirklich meditativer Mensch ist spielerisch; das Leben ist für ihn ein Spaß, das Leben ist Leela, ein Spiel. Er genießt es ungeheuer, er ist nicht ernsthaft, er ist entspannt.

Osho Nataraj Meditation

Meditation ist nur deshalb notwendig, weil du dich nicht dazu entschieden hast, glücklich zu sein. Wenn du dich entschieden hast, glücklich zu sein, brauchst du nicht zu meditieren. Meditationen sind wie Arzneien.
Wenn du krank bist, dann mußt du zur Medizin greifen. Buddhas brauchen keine Meditation. Wenn du dich erst einmal entschieden hast, glücklich zu sein, wenn du beschlossen hast, daß du glücklich sein mußt, dann ist keine Meditation vonnöten. Dann geschieht Meditation ganz von selbst.
Meditation ist eine natürliche Folge des Glücks. Meditation folgt dem glücklichen Menschen wie ein Schatten. Wo immer er hingeht, was immer er tut, er ist meditativ.

Nataraj ist Tanz als totale Meditation. Diese Meditation hat drei Phasen und dauert insgesamt 65 Minuten.

Erste Phase: 40 Minuten
Tanze mit geschlossenen Augen wie besessen. Laß dich völlig vom Unbewußten leiten. Suche deine Bewegungen auf keine Weise zu kontrollieren und sei auch kein Beobachter des Geschehens. Geh einfach total im Tanzen auf.

Zweite Phase: 20 Minuten
Die Augen bleiben geschlossen; leg dich sofort hin. Bleib still und rühr dich nicht.

Dritte Phase: 5 Minuten
Tanze einen Freudentanz – genieße.

Vergiß den Tänzer, den Mittelpunkt des Egos; werde zum Tanz. Das ist die Meditation. Tanze so tief versunken, daß du voll und ganz vergißt, daß „du" tanzt, und fühle immer stärker, daß du der Tanz bist. Die Trennung muß verschwinden; dann wird es zur Meditation. Solange die Trennung da ist, ist es eine Übung: gut, gesund, aber nicht spirituell zu nennen. Dann ist es einfach ein gewöhnlicher Tanz. Tanzen an sich ist gut – so weit, so gut: hinterher fühlst du dich frisch, jung. Aber das ist noch keine Meditation. Der Tänzer muß verschwinden, so daß nur noch der Tanz übrig bleibt.

Was also tun? Sei total in deinem Tanzen, denn die Trennung kann nur bestehen, solange du nicht total im Tanzen aufgehst. Wenn du daneben stehst und dir zuschaust, wie du tanzt, wird die Trennung bleiben: Du bist der Tänzer, und du tanzt. So ist Tanzen nur ein Akt, etwas, was du tust; es ist nicht dein Wesen. Gehe also total darin auf; verschmelze darin. Stehe nicht daneben, sei kein Beobachter. Wirf dich hinein!

Laß dem Tanzen seinen freien Lauf; erzwinge nichts. Im Gegenteil – folge ihm; laß das Tanzen geschehen. Es ist kein Tun, es ist ein Geschehen, ein Happening. Bleibe in der festlichen Stimmung. Du erfüllst keine Pflicht; du spielst einfach, spielst mit deiner Lebensenergie, spielst mit deiner Bioenergie und läßt ihr ihren eigenen Fluß. So

wie der Wind weht und der Fluß strömt – so strömst und wehst du. Fühle es.
Und sei spielerisch. Vergiß dieses Wort nie – „spielerisch"! Für mich ist es grundlegend. Hier in diesem Land nennen wir die Schöpfung Gottes, „leela" – Spiel Gottes. Gott hat die Welt nicht erschaffen; sie ist sein Spielen.

Was ist denn Sinn und Zweck der Meditation?
Was gewinnst du daraus? Was ist der Nutzwert des Tanzens? –
Null. Du kannst es nicht essen, du kannst es nicht trinken,
du kannst dir aus Tanzen kein Dach überm Kopf machen.
Es scheint völlig nutzlos. Alles Schöne und Wahre ist nutzlos.

Kirtan

Nimm Religion nicht ernst. Du kannst dabei singen und tanzen; lange Gesichter sind nicht nötig. Wir haben schon viel zu lange mit langen Gesichtern gelebt. Seht euch das alte Gesicht Gottes an – wie traurig! Wie langweilig! Was wir heute brauchen, ist ein tanzender und singender Gott! Ihr müßt ekstatisch tanzen. Eure ganze Lebensenergie muß fließen, lachen, singen. Feiert das Leben.

Als Meditationstechnik besteht Kirtan aus drei Phasen, jede dauert 20 Minuten.

Erste Phase:
Schließe die Augen, tanze, singe, klatsche in die Hände.
Gehe total darin auf.

Zweite Phase:
Lege dich hin, still und unbeweglich.

Dritte Phase:
Tanze und singe wieder und gebe dich total hin.
Verliere dich.

Am Morgen

Meditation ist nicht etwas, das du einmal am Morgen machst, und damit Schluß; Meditation ist etwas, das du jeden Augenblick deines Lebens leben mußt. Im Gehen, im Schlafen, im Sitzen, beim Sprechen, beim Zuhören - es muß zu einer Art Klima werden.

Ein entspannter Mensch bleibt meditativ. Ein Mensch, der ständig das Vergangene hinter sich läßt, bleibt meditativ. Beschließe nichts; deine Beschlüsse sind deine Konditionierungen, deine Vorurteile, deine Sehnsüchte, Ängste und alles übrige... kurz, du!

Du – das heißt deine Vergangenheit. Du – das sind all deine vergangenen Erfahrungen. Laß das Tote nicht über das Lebendige herrschen, erlaube der Vergangenheit nicht, die Gegenwart zu beeinflussen, laß den Tod nicht dein Leben überwältigen – genau das ist Meditation. Kurz, in Meditation bist du nicht da. Das Tote herrscht nicht über das Lebende.

Lebe in diesem Augenblick

Je tiefer du in die Meditation eindringst, desto mehr verschwindet die Zeit. Wenn die Meditation wirklich aufgeblüht ist, ist die Zeit spurlos verschwunden. Es geschieht gleichzeitig: Wenn das Denken verschwindet, verschwindet die Zeit. Daher haben die Mystiker aller Zeitalter gesagt, daß Denken und Zeit nichts weiter sind, als die zwei Seiten derselben Münze. Das Denken kann nicht ohne Zeit leben und Zeit existiert nicht ohne Gedanken. Solange die Zeit existiert, sind Gedanken da.

Daher haben alle Buddhas immer wieder betont: „Lebe in diesem Augenblick." In diesem Augenblick zu leben, ist Meditation; einfach hierjetzt sein ist Meditation. Alle, die genau in diesem Augenblick jetzt, hier mit mir sind, befinden sich in Meditation. Dies ist Meditation – der Kuckucksruf weit weg, und das Flugzeug, das vorbeifliegt, und die Krähen und die Vögel, und alles ist ruhig, und der Geist steht still. Du denkst nicht über die Vergangenheit nach, und du denkst nicht an die Zukunft. Die Zeit ist stehengeblieben. Die Welt ist stehengeblieben.

Die Welt anzuhalten – das ist die ganze Kunst des Meditierens. Und im Augenblick zu leben heißt, in der Ewigkeit leben. Den Augenblick schmecken, ohne jede Vorstellung, ohne alles Denken, heißt, von der Unsterblichkeit kosten.

AM MORGEN

Techniken für den Alltag

Wenn du das tägliche Leben nicht zur Meditation nutzt, dann wird deine Meditation unweigerlich zu einer Art Weltflucht.

Stop!

Fange mit folgender, ganz einfacher Methode an, mindestens sechsmal am Tag. Es dauert nur eine halbe Minute, also drei Minuten am Tag. Es ist die kürzeste Meditation der Welt! Aber du mußt es urplötzlich machen – das ist der Clou.
Wenn du auf der Straße gehst – plötzlich fällt's dir ein: Stop! Bringe dich völlig zum Stehen – keine Bewegung. Sei für eine halbe Minute nur gegenwärtig. Wie immer die Situation ist, halte total an und sei ganz da für das, was gerade passiert. Dann mache wieder weiter. Sechsmal am Tag. Du kannst es auch öfter machen, aber nicht weniger – es wird dich sehr stark öffnen. Es muß urplötzlich geschehen.
Wenn du einfach urplötzlich gegenwärtig wirst, ändert sich deine ganze Energie. Der Film, der gerade im Gehirn lief, reißt. Und es ist so plötzlich, daß das Hirn auf die Schnelle keinen neuen Gedanken liefern kann. Dazu braucht es Zeit; der Verstand ist dumm.
Wo auch immer du bist, du gibst dir, gibst deinem ganzen Wesen – im gleichen Moment, wo es dir einfällt – einen

Ruck und hältst an. Es wird dich nicht nur bewußt machen; bald wirst du fühlen, daß andere auf deine Energie aufmerksam geworden sind – daß etwas geschehen ist; etwas vom Unbekannten dringt in dich ein.

Arbeit als Meditation

Wann immer du fühlst, daß du nicht gut gelaunt bist und dich bei der Arbeit nicht wohlfühlst, atme, bevor du mit der Arbeit beginnst, fünf Minuten lang immer wieder ganz tief aus. Fühle beim Ausatmen, wie du deine dunkle Stimmung hinauswirfst, und du wirst erstaunt sein – innerhalb von fünf Minuten wirst du auf einmal wieder wie immer sein, und das Tief ist verschwunden, das Dunkel ist nicht mehr da.

Wenn du aus deiner Arbeit eine Meditation machen kannst, ist es das Allerbeste. Dann kommt die Meditation nie in Konflikt mit deinem Leben. Was auch immer du tust, kann zur Meditation werden. Meditation ist nicht etwas Separates; sie ist Teil des Lebens. Sie ist wie Atmen: So wie du aus- und einatmest, so meditierst du auch.

Und es ist nichts weiter als eine Verlagerung des Schwergewichts; es muß nichts Besonderes getan werden. Mache jetzt Dinge besonders sorgfältig, die du bisher vernachlässigt hast. Und füge den Dingen, die du bisher zu einem bestimmten Zweck gemacht hast, noch etwas dazu. Du hast zum Beispiel für Geld gearbeitet... das ist in Ordnung. Geld ist okay, und wenn dir deine Arbeit Geld bringt, gut; man braucht Geld, aber es ist nicht das Ein und Alles. Und wenn du ganz nebenbei noch andere Freuden damit ernten kannst, warum solltest du sie dann auslassen? Du bekommst sie gratis. Du mußt deine Arbeit so oder so tun, ob du sie liebst oder nicht; wenn du also die Liebe mit hineinbringst, wird dir das vieles mehr einbringen, was dir sonst entgehen würde.

Künstlerisch tätige Menschen können aus dem Geldverdienen eine Meditation machen – wie das möglich ist, erklärt Osho einem Maler, der ihm eine entsprechende Frage gestellt hatte.

Kunst ist Meditation; jede Beschäftigung wird zur Meditation, wenn du dich darin verlierst; bleibe also nicht bei der reinen Technik stehen. Wenn du lediglich nach einer Technik arbeitest, dann wird die Malerei nie zur Meditation werden, du mußt dich wie ein Verrückter hineinstürzen, wie wahnsinnig, mußt dich total darin verlieren, ohne zu wissen, wohin du gehst, ohne zu wissen, was du tust, ohne zu wissen, wer du bist.

Dieser Zustand des Nicht-Wissens ist Meditation; laß es geschehen. Das Gemälde sollte nicht gemalt werden, sondern nur entstehen, zugelassen werden. Ich meine damit nicht, daß du dabei untätig sein sollst – nein, dann würde es nie zustandekommen. Du mußt getrieben werden, dein Letztes geben und trotzdem nichts tun. Das ist der ganze Witz, der springende Punkt: Du mußt aktiv sein, aber kein Macher.

Geh an die Leinwand. Sei für einige Minuten in Meditation, sitze nur ganz still vor deiner Leinwand. Es sollte so sein wie beim automatischen Schreiben, bei dem du den Stift in die Hand nimmst und ganz still dasitzt, und dann plötzlich fühlst du einen Ruck in deiner Hand – nicht, daß du es tätest, du weißt, daß du es nicht getan hast. Du hast einfach nur darauf gewartet. Der Ruck kommt, und die Hand fängt an, sich zu bewegen, etwas passiert.

Genauso solltest du auch zu malen anfangen. Ein paar Minuten meditieren, einfach offen sein.

Was auch immer passieren sollte, du wirst es zulassen. Du wirst deine ganze Kunst, dein ganzes künstlerisches Vermögen dazugeben, so daß es geschehen kann.

Nimm den Pinsel und fange an. Gehe am Anfang ganz geruhsam vor, so daß du dich nicht selbst ins Spiel bringst. Mache ganz langsam. Erlaube dem Thema, von selbst durch dich hindurchzufließen und dann verliere dich darin. Und denke an nichts anderes. Kunst muß um der Kunst willen gemacht werden, dann ist sie Meditation. Kein Motiv darf sich einmischen. Und ich sage damit nicht, daß du dein Bild dann nicht verkaufen oder ausstellen sollst; das ist alles absolut okay, aber das ist nebensächlich. Das ist nicht der Beweggrund. Man braucht etwas zu essen, also verkauft man das Bild, aber das tut weh; es ist fast so, als würdest du dein Kind verkaufen. Aber man muß es, also ist es okay. Du bist traurig. Der Beweggrund war es nicht – du hast es nicht gemalt, um es zu verkaufen. Nun ist es verkauft – das ist eine Sache für sich – aber das ist nicht das Motiv; wäre es so, würdest du nur malen, um Geld zu verdienen, dann bliebest du ein reiner Techniker. Du solltest dich total verlieren, dich auflösen, total in deiner Malerei verschwinden, in deinem Tanz, im Atmen, im Singen. Was du auch tust, tue es ganz und gar, verliere dich darin, sei unkontrolliert.

Meditation für Vielflieger

*Wissenschaftler müssen meditieren lernen,
sonst ist diese Erde zum Untergang verurteilt.*

Nirgendwo kann man besser meditieren als in einem Flugzeug, das in großer Höhe fliegt. Je höher, desto leichter das Meditieren. Darum sind die Meditierer über Jahrhunderte hinweg auf den Himalaya gestiegen; sie wollten möglichst hoch hinauf.
Sobald die Erdanziehungskraft abnimmt, die Erde weit weg ist, erreichen dich auch viele irdische Anziehungskräfte nicht mehr. Und du bist weit entfernt von der korrupten Gesellschaft, die die Menschen aufgebaut haben. Du bist umgeben von Wolken und Sternen und vom Mond und der Sonne, dem Weltall... Fühle dich eins mit der Weite des Alls.

Gehe in drei Stufen vor:

Der erste Schritt:
Stell dir einige Minuten lang vor, daß du größer wirst... du füllst das ganze Flugzeug aus.

Der zweite Schritt:
Fühle dich noch größer werden, größer als das ganze Flugzeug, ja so groß, daß das Flugzeug jetzt in dir ist.

AM MORGEN

Der dritte Schritt:
Fühle, daß du dich über den ganzen Himmel ausgebreitet hast. Jetzt bewegen sich diese Wolken, dieser Mond und die Sterne in dir – du bist riesig, du bist grenzenlos.

Dieses Gefühl wird zu deiner Meditation, und sie wird dich total entspannen, ganz und gar lösen.

Dies ist das Geheimnis: Sei kein Automat

Meditation ist weder eine Reise im Raum noch eine Reise in der Zeit, sie ist ein blitzschnelles Erwachen.

Wenn wir all unser Tun entautomatisieren können, dann wird unser ganzes Leben zur Meditation. Dann wird jede Kleinigkeit, die wir tun – wie duschen, essen, mit einem Freund reden – zu einer Meditation.
Meditation ist eine Qualität; diese Qualität kann in alles eingebracht werden.
Sie ist keine spezielle Handlung. Die Leute stellen es sich so vor; sie glauben, daß Meditation eine ganz besondere Handlung sei – man setzt sich hin, mit dem Blick nach Osten, leiert ganz bestimmte Mantras herunter, zündet Räucherstäbchen an... die Leute meinen, daß man dies und jenes zu einer ganz bestimmten Zeit, auf eine ganz bestimmte Art und Weise, mit ganz bestimmten Bewegungen und Gebärden tun muß. Meditation hat mit all dem nicht das Geringste zu tun.
Das sind alles nur Gebärden, die Meditation in einen automatischen Ritus verwandeln – aber Meditation ist genau das Gegenteil von Automatik.
Wenn du ständig hellwach bist, ist alles, was du tust, eine Meditation, und jede Bewegung kann dir zur Meditation verhelfen.

Oshos Raucher-Meditation

Eines Tages kam ein Mann zu mir. Er hatte dreißig Jahre darunter gelitten, daß er Kettenraucher war; er war krank und sein Arzt hatte ihm gesagt: „Du wirst nie gesund werden, wenn du nicht mit dem Rauchen aufhörst." Aber er war ein chronischer Raucher; er konnte nichts dagegen tun. Er hatte alles versucht, hatte seinen ganzen Willen eingesetzt und viel darunter gelitten; aber er schaffte es immer nur einen oder zwei Tage lang, dann packte ihn die Sucht wieder, so überwältigend stark, daß sie ihn einfach mitriß. Und schon verfiel er wieder in die alte Abhängigkeit.

Wegen dieser Abhängigkeit vom Rauchen hatte er sein ganzes Selbstvertrauen verloren: er wußte, daß er so etwas Winziges, wie mit dem Rauchen aufzuhören, nicht fertigbrachte. Er war in seinen eigenen Augen wertlos geworden, er hielt sich für den wertlosesten Menschen der Welt und hatte keine Achtung mehr vor sich selbst. Dann kam er zu mir.

Er fragte mich: „Was kann ich nur tun? Wie kann ich mit dem Rauchen aufhören?" Ich sagte: „Niemand kann das. Das mußt du verstehen. Dein Rauchen ist jetzt keine Entscheidungssache mehr. Es gehört jetzt zu deinen festen Gewohnheiten; es hat Wurzeln in dir geschlagen. Dreißig Jahre sind eine lange Zeit. Die Gewohnheit ist in deinem Körper verwurzelt, hat seine ganze Chemie verändert, hat deinen ganzen Körper erfaßt. Jetzt kannst du nicht einfach mit dem Kopf an das Problem herangehen; dein Kopf kann gar nichts ausrichten. Der Kopf ist impotent; er kann zwar einen Prozeß in Gang bringen, aber ihn dann nicht so leicht wieder stoppen. Wenn du erst einmal mit dem Rauchen angefangen hast, und es nun schon so lange tust, dann bist du ein großer Yogi – eine dreißigjährige Übung im Rauchen! Es hat sich verselbständigt; du mußt es entautomatisieren." Der Mann sagte: „Was meinst du mit ‚entautomatisieren'?"

Genau darum geht es bei der Meditation – Ent-Automatisierung.

Ich sagte ihm: „Tu jetzt eins: denke nicht mehr ans Aufhören. Es ist außerdem überhaupt nicht notwendig. Du hast jetzt dreißig Jahre lang geraucht und hast es überlebt; natürlich hast du gelitten, aber auch daran hast du dich gewöhnt. Und was macht es schon, ob du wegen dem Rauchen ein paar Stunden früher stirbst? Was willst du mit dieser Zeit denn hier anfangen? Was hast du bisher mit deiner Zeit angefangen? Was soll's also – ob du nun Montag stirbst oder Dienstag oder Sonntag, ob dieses Jahr oder nächstes Jahr – was macht das schon aus?"

Er sagte: „Ja, das ist wahr, es ist gleichgültig." Darauf sage ich: „Denke einfach nicht mehr daran; wir wollen gar nicht mehr aufhören. Was wir vielmehr tun – wir versuchen, es zu verstehen. Wenn du also nächstes Mal rauchst, dann mache eine Meditation daraus."

Er sagte: „Eine Meditation aus dem Rauchen!?" Ich sagte: „Ja. Wenn die Zen-Leute eine Meditation aus dem

Tee-Trinken machen können, wenn sie eine Zeremonie daraus machen können, warum dann nicht aus dem Rauchen? Rauchen kann eine genauso schöne Meditation sein."

Er war wie elektrisiert. Er sagte: „Was sagst du da?" Er wurde ganz lebendig! Er sagte: „Meditation? Sag mir wie – ich kann's gar nicht erwarten!"

Ich erklärte ihm die Meditation. Ich sagte: „Tu eins. Wenn du die Zigarettenschachtel aus der Tasche holst, mache ganz langsam. Genieße es, es gibt keine Eile. Sei bewußt, wach, aufmerksam; hol sie langsam heraus, mit voller Bewußtheit. Dann nimm die Zigarette aus der Schachtel, voll bewußt, langsam – nicht so wie bisher, überstürzt, unbewußt, mechanisch. Dann klopfe die Zigarette leicht auf die Schachtel – aber sehr wachsam. Höre auf das Geräusch, so wie die Zen-Leute aufmerksam zuhören, wenn der Samovar zu singen anfängt und der Tee langsam anfängt zu kochen... und das Aroma! ...Rieche an der Zigarette... wie gut sie riecht!"

Er sagte: „Was sagst du da? Wie gut?" – „Natürlich, es riecht gut. Tabak ist göttlich wie alles andere auch. Rieche ihn; so riecht Gott!"

Er sah etwas verdutzt drein. Er sagte: „Wie! Machst du Witze?" – „Nein, ich mache keine Witze."

Selbst wenn ich Witze mache, mach ich keine Witze. Ich bin ein ganz ernsthafter Mensch.

„Dann nimm die Zigarette in den Mund, ganz bewußt; zünde sie ganz aufmerksam an. Genieße jeden Schritt, jede kleine Bewegung und mache so viele kleine Schritte daraus wie möglich, so daß du es immer bewußter tust.

Dann mache den ersten Zug: Gott in Form von Zigarettenrauch! Hindus sagen ‚Annam Brahm' – ‚Nahrung ist Gott'. Warum nicht Rauch? Alles ist Gott. Fülle deine Lungen ganz tief – dies ist ein *pranayam*. Ich gebe dir das neue Yoga für das neue Zeitalter! Dann blase den Rauch aus, entspanne dich; der nächste Zug – und ganz, ganz langsam.

Wenn du es erst einmal schaffst, wirst du erstaunt sein; du wirst bald die ganze Dummheit erkennen. Nicht, weil andere es dumm genannt haben, nicht, weil andere es schlecht genannt haben. Du wirst es sehen. Und dein Sehen wird nicht bloß intellektuell sein. Du wirst es mit deinem ganzen Wesen erkennen; es wird ein totales Sehen sein. Und dann – wenn es aufhört, hört es auf; wenn nicht, dann nicht. Du brauchst dir keine Sorgen darüber zu machen."

Nach drei Monaten kam er wieder zu mir und sagte: „Aber es hat aufgehört."

„So", sagte ich, „dann versuch's jetzt auch mit anderen Dingen."

Dies ist das Geheimnis, *das* Geheimnis: entautomatisiere dich. Wenn du gehst, gehe langsam, aufmerksam. Wenn du schaust, schau aufmerksam, und du wirst sehen, die Bäume sind grüner als sie je zuvor waren, und die Rosen sind rosiger als je zuvor. Höre zu! Jemand spricht, erzählt

Klatschgeschichten: höre zu, höre aufmerksam zu. Wenn du redest, rede aufmerksam. Entautomatisiere alles, was du im Wachzustand tust.

Meditation ist keine Erfahrung, sie ist das Erwachen des inneren Zeugen. Schaue nur, beobachte und zentriere dich im Beobachten. Wenn du dort hinkommst, ist alles total – nirgends sonst. Und erst dann ist alles und jedes Erfüllung – nie vorher. Meditiere, wenn du das Gesicht deines Geliebten anschaust. Wenn du Blumen liebst, dann meditiere vor der Rose; versenke dich in den Mond, oder was immer dir lieb ist. Wenn du gerne ißt, meditiere beim Essen.

Ganz gewöhnlicher Tee – Genieße ihn!

Lebe von Augenblick zu Augenblick. Versuche einmal folgendes drei Wochen lang: Was immer du gerade tust, tu es so total wie möglich; liebe es und genieße es. Vielleicht sieht es albern aus. Wenn du zum Beispiel Tee trinkst, sieht es sicher komisch aus, es allzu sehr zu genießen – es ist doch nur gewöhnlicher Tee!

Aber gewöhnlicher Tee kann auch ganz außergewöhnlich sein – eine tolle Erfahrung, wenn du ihn genießt. Genieße ihn mit tiefer Ehrfurcht. Mache eine Zeremonie daraus: Tee zubereiten... den Geräuschen des Wasserkessels lauschen, dann den Tee eingießen... sein Aroma riechen; dann den Tee probieren und dabei glücklich sein.

Tote Leute können nicht Tee trinken; nur sehr lebendige Leute können das. In diesem Augenblick bist du lebendig! In diesem Augenblick trinkst du Tee. Fühle dich dankbar! Und denke nicht an die Zukunft; der nächste Augenblick sorgt schon für sich selbst. Denke nicht an morgen: lebe drei Wochen lang in jedem einzelnen Augenblick.

Ein Wort, das die Zen-Leute gerne statt „Meditation" verwenden, ist „wushi". Das bedeutet „nichts Besonderes" oder „nicht viel Wind machen."

AM MORGEN

Sitze still und warte

Manchmal passiert es, daß die Meditation dir ganz nahe kommt, aber du bist von anderen Dingen in Anspruch genommen. Diese stille, leise Stimme ist in dir, aber du bist voll von Lärm, Terminen, Beschäftigungen, Verpflichtungen. Und Meditation kommt wie ein Flüstern, sie kommt nicht als lauter Slogan, sie kommt auf ganz leisen Sohlen. Sie macht keinen Lärm. Du hörst ihren Schritt nicht. Wenn du beschäftigt bist, wartet sie ein Weilchen, und dann geht sie wieder.

Deshalb mache es dir zur lieben Gewohnheit, für mindestens eine Stunde am Tag ganz still dazusitzen und auf sie zu warten. Tue gar nichts, sitze nur ruhig da mit geschlossenen Augen, ganz erwartungsvoll, mit wartendem Herzen, mit offenem Herzen. Warte nur einfach, so daß du empfänglich bist, wenn etwas passiert. Sei nicht frustriert, wenn nichts geschieht. Es entspannt, wenn man eine Stunde lang dasitzt, auch wenn gar nichts passiert. Es macht dich ruhig, still, du sammelst dich und schlägst Wurzeln in dir selbst. Allmählich wird die Meditation zu dir kommen, als seist du mit ihr verabredet. Sie kommt zu einer bestimmten Tageszeit, du wartest auf sie – und sie kommt zu Besuch, immer öfter. Sie kommt nicht von draußen, sondern aus deinem innersten Wesenskern. Dein inneres Bewußtsein wartet auf dein äußeres Bewußtsein, und so wächst die Chance, daß sie sich treffen. Setze dich unter einen Baum. Eine Brise weht, und die

Blätter im Baum rascheln. Der Wind berührt dich, er umweht dich, weht vorbei. Aber lasse ihn nicht einfach an dir vorbeiwehen; erlaube ihm, in dich einzudringen und durch dich hindurchzugehen. Schließe deine Augen, und wenn der Wind durch den Baum weht und die Blätter sich bewegen, fühle dich wie der Baum, ganz offen, und der Wind weht durch dich hindurch – nicht an dir vorbei, sondern genau durch dich hindurch.

Manchmal kannst du ganz einfach verschwinden

*Alles, was der Verstand kann, kann nicht Meditation sein.
Meditation ist jenseits vom Verstand. Dort ist der Verstand völlig
hilflos; der Verstand kann nicht in Meditation eindringen.
Wo der Verstand aufhört, fängt Meditation an.*

Du sitzt unter einem Baum, denkst weder an Zukunft noch an Vergangenheit, bist nur da – wo bist du dann? Wo ist das Ich? Du kannst es nicht fühlen, es ist nicht da. Das Ego hat noch nie in der Gegenwart existiert. Die Vergangenheit ist nicht mehr, die Zukunft ist noch nicht da; beide sind nicht. Die Vergangenheit ist verschwunden, die Zukunft ist noch nicht aufgetaucht – nur die Gegenwart ist. Und in der Gegenwart ist niemals so etwas wie das Ego zu finden.

Es gibt eine Meditation, eine der ältesten überhaupt, die auch heutzutage noch in einigen tibetanischen Klöstern gemacht wird. Diese Meditation basiert auf derselben Wahrheit, von der ich eben sprach. Diese Mönche lehren, daß du manchmal einfach verschwinden kannst; du sitzt zum Beispiel im Garten und du fühlst, wie du verschwindest. Schaue es dir an, wie die Welt aussieht, wenn du aus der Welt fort bist, wenn du nicht mehr hier bist, wenn du ganz und gar durchscheinend geworden bist. Versuche, einmal eine einzige Sekunde lang nicht zu sein.

Wenn du bei dir zu Hause bist, sei so, als wärest du nicht. Es ist wirklich eine wunderschöne Meditation. Du kannst es in vierundzwanzig Stunden oft und oft probieren – schon eine halbe Sekunde ist genug. Für eine halbe Sekunde lang, höre einfach auf zu sein; du bist nicht, und die Welt geht weiter. Wenn dir immer mehr bewußt wird, daß die Welt auch ohne dich ganz wunderbar weitergeht, dann wirst du bald einen anderen Teil deines Wesens kennenlernen, den du sehr lange, viele Leben lang, vernachlässigt hast. Und zwar deine empfängliche Seite. Du läßt einfach alles ein, du wirst zu einer Tür. Die Dinge geschehen auch ohne dich.

Die Guillotinen-Meditation

Eine der schönsten Tantra-Meditationen: gehe spazieren und stelle dir vor, daß du keinen Kopf mehr hast, nur noch einen Körper. Sitze und stelle dir vor, du hättest keinen Kopf mehr, nur noch den Körper. Rufe dir ständig ins Gedächtnis, daß der Kopf nicht da ist. Stelle es dir bildlich vor – du ohne Kopf; lasse dir ein Foto von dir vergrößern, auf dem du ohne Kopf zu sehen bist; schau es dir an. Hänge deinen Spiegel im Badezimmer tiefer, damit du dich ohne Kopf siehst.

Wenn du dies ein paar Tage lang machst, wirst du eine solche Schwerelosigkeit fühlen, eine so große Stille! Denn es ist der Kopf, der Probleme macht. Wenn du dir vorstellen kannst, du hättest keinen Kopf – und man kann sich das vorstellen, das ist nicht schwierig – dann rückt dein Herz mehr und mehr in den Mittelpunkt.

Jetzt, in diesem Augenblick kann es geschehen: du siehst dich ohne Kopf, und wirst auf der Stelle verstehen, was ich sage.

„Ich bin das nicht"

Der Verstand ist Müll! Nicht, daß nur du lauter Müll im Kopf hättest und andere nicht. Es ist einfach so, daß der Verstand an sich Müll ist. Und es hat keinen Zweck, darin herumzuwühlen; das kannst du bis in alle Ewigkeit machen – endlos. Der Müll reproduziert sich ständig, er ist also nicht leblos, er ist dynamisch. Er wächst und hat sein Eigenleben. Wenn du ihn beschneidest, werden neue Blätter sprießen.

Wenn du den Müll ans Tageslicht bringst, dann bedeutet das nicht, daß du leer wirst. Es passiert etwas anderes: dir wird bewußt, daß du nicht dein Verstand bist, mit dem du dich bis jetzt identifiziert hast. Wenn du dir diesen Müll vor Augen führst, erkennst du die Trennung, die Kluft zwischen dir und ihm. Der Müll bleibt derselbe, aber du bist nicht mehr damit identifiziert, das ist alles. Du bist nicht mehr eins damit, du weißt, daß du davon getrennt bist.

Du mußt also nur eins tun: nicht versuchen, gegen den Müll anzukämpfen und nicht versuchen, ihn zu verändern. Beobachte einfach nur, und rufe dir immer wieder ins Bewußtsein: „Ich bin das nicht." Mache dies zu deinem Mantra: „Ich bin das nicht." Denke immer daran, werde wach und schau, was passiert.

Es wird augenblicklich eine Veränderung eintreten. Der Müll wird immer noch da sein, aber er ist nicht mehr ein Teil von dir. Sich daran zu erinnern, heißt, sich davon abzukehren.

Schreibe deine Gedanken nieder

Meditation ist ein Mittel, deine Intelligenz freizusetzen.
Je meditativer du wirst, desto intelligenter wirst du.
Aber vergiß nicht, mit Intelligenz meine ich nicht Intellektualität.
Intellektualität ist eine Spielart der Dummheit.

Wenn du einmal Zeit hast, tue folgendes: ein kleines Experiment. Setze dich allein in dein Zimmer, mach alle Türen zu und fange an, deine Gedanken aufzuschreiben – gleichgültig, was es ist, schreibe, was dir gerade in den Sinn kommt. Verändere nichts an deinen Gedanken, du mußt sie ja niemand anderem zeigen! Schreibe einfach vor dich hin, zehn Minuten lang, und dann lies es. Das ist es, was du denkst! Wenn du deine Gedanken durchliest, wirst du denken, das ist das Werk eines Verrückten. Wenn du das Blatt deinem besten Freund zeigst, wird auch er dich groß ansehen und denken: „Bist du verrückt geworden?"

Fratzen schneiden

Meditation ist deine innerste Natur – das bist du. Sie ist dein Wesen. Sie hat nichts mit deinem Tun zu tun: Du kannst sie nicht besitzen, du kannst sie nicht nicht besitzen – sie kann nicht besessen werden, sie ist nicht ein Ding, sie ist du – dein Wesen.

Es gibt viele Meditationen, bei denen Fratzenschneiden eine Rolle spielt. Man kann eine selbständige Meditation daraus machen – in Tibet ist dies eine der ältesten Traditionen.
Stelle dich nackt vor einen großen Spiegel, schneide Fratzen und mache irgendwelchen Blödsinn – und schau zu. Wenn du dies fünfzehn bis zwanzig Minuten lang tust und dich dabei beobachtest, wirst du erstaunt sein. Du wirst langsam das Gefühl bekommen, daß du losgelöst bist. Wie sonst könntest du all diesen Blödsinn machen? Also ist der Körper in deiner Hand, er ist einfach etwas, was du in der Hand hast. Du kannst mit ihm spielen, so und so...
Laß dir neue Fratzen einfallen, komische Gebärden, tue was du kannst, und es wird dich unheimlich erleichtern. Und allmählich wirst du erkennen, daß du nicht dein Körper, nicht dein Gesicht, sondern dein Bewußtsein bist. Es wird dir helfen.

Am Morgen

Schaue in den Himmel

Meditiere in den Himmel – wann immer du Zeit hast, lege dich lang hin; schau in den Himmel. Mache es zu deiner Kontemplation. Wenn du beten willst, bete zum Himmel. Wenn du meditieren willst, meditiere in den Himmel, manchmal mit offenen Augen, manchmal mit geschlossenen Augen. Denn der Himmel ist auch in dir; so groß wie er außen ist, so ist er auch innen.

Wir stehen genau an der Schwelle zwischen dem inneren und dem äußeren Himmel, und sie sind sich genau proportional. So wie der äußere Himmel unendlich ist, so unendlich ist auch der innere. Wir stehen genau an der Schwelle, du kannst dich in beide Richtungen auflösen. Und dies sind die zwei Arten sich aufzulösen.

Wenn du dich in den äußeren Himmel auflöst, ist es Gebet, wenn du dich in den inneren Himmel auflöst, dann ist es Meditation; aber am Ende läuft es auf dasselbe hinaus: du hast dich aufgelöst. Und diese beiden Himmel sind gar nicht zwei. Sie sind nur zwei, weil du da bist – du bist die Trennlinie. Wenn du verschwindest, verschwindet die Trennlinie, dann ist innen außen und außen innen.

Der Duft einer Blume

Wenn du eine gute Nase hast, dann gehe ganz nah an eine Blume heran, laß dich von ihrem Duft erfüllen. Dann ziehe dich ganz langsam von der Blume zurück, achte aber weiterhin auf ihr Aroma, ihren Duft. Je weiter du dich von ihr entfernst, desto feiner und leiser wird ihr Duft, und du wirst mehr Aufmerksamkeit brauchen, um ihn zu spüren. Werde zur Nase. Vergiß deinen ganzen übrigen Körper und bringe all deine Energie in die Nase, so als ob du nur Nase wärest. Wenn du den Duft verlierst, dann gehe wieder ein paar Schritte auf die Blume zu, fange den Duft wieder ein, und entferne dich wieder von ihr.

So wirst du immer mehr fähig sein, eine Blume aus sehr großer Entfernung zu riechen. Niemand anders wird sie von so weit riechen können. Dann entferne dich vorsichtig immer weiter – du machst das Objekt deines Riechens immer unmerklicher – und dann kommt ein Moment, wo du den Duft nicht mehr wahrnehmen kannst. Nun rieche die Abwesenheit von dem Duft, dort, wo er eben noch war. Er ist nicht mehr da.

Das ist die andere Seite seines Daseins – die nicht vorhandene Seite, der dunkle Teil. Wenn du die Abwesenheit des Duftes riechen kannst, wenn du den Unterschied fühlen kannst, dann bist du nicht mehr der gleiche. Dann ist das Objekt ganz subtil geworden. Nun nähert es sich dem Zustand des Nicht-Denkens, des Samadhi.

Kommuniziere mit der Erde

Versuche einmal ein kleines Experiment: stell dich nackt irgendwo hin – an den Strand, an den Fluß, stehe einfach nackt in der Sonne – und fange an zu hüpfen, auf der Stelle zu laufen, und fühle, wie deine Energie durch die Füße fließt, durch deine Beine hindurch in die Erde. Laufe und fühle, wie deine Energie durch die Beine hindurch in die Erde geht; dann, nach ein paar Minuten, bleibe ganz ruhig stehen, mit der Erde verwurzelt, und fühle einen Strom zwischen deinen Füßen und der Erde. Du wirst dich auf einmal sehr verwurzelt, sehr erdverbunden, sehr stabil fühlen. Du wirst sehen, daß die Erde kommuniziert, du wirst sehen, daß deine Füße kommunizieren. Du wirst in ein Zwiegespräch mit der Erde eintreten.

Entspanne deinen Atem

Alle diese Meditationen, die ihr hier macht, sind nichts als Versuche, euch aus dem Schlaf zu rütteln.

Wann immer du Zeit hast, entspanne für ein paar Minuten das Atemsystem, sonst nichts – nicht nötig, den ganzen Körper zu entspannen. Wenn du im Zug oder im Flugzeug oder im Auto sitzt, kannst du das tun, ohne daß es überhaupt jemand merkt. Entspanne einfach deinen Atem. Lasse deinen Atem ganz natürlich kommen und gehen. Dann schließe die Augen und beobachte, wie der Atem eingeht, ausgeht, eingeht.
Konzentriere dich nicht. Wenn du dich konzentrierst, schaffst du nur Probleme, weil alles anfängt, dich zu stören. Wenn du z.B. versuchst, dich im Auto auf deinen Atem zu konzentrieren, dann wird das Fahrgeräusch, dann wird der Mitfahrer zum Störenfried.
Meditation ist nicht Konzentration. Sie ist einfache Wachheit. Du entspannst dich und beobachtest den Atem. Bei diesem Beobachten wird nichts ausgeschlossen. Der Motor brummt – vollkommen okay, akzeptiere es. Der Verkehr um dich herum – alles okay, gehört zum Leben. Der Mitreisende, der auf dem Sitz neben dir schnarcht, akzeptiere ihn. Nichts wird ausgeklammert.

Friede mit diesem Menschen

Nur Meditation kann deine Prägungen löschen.

Wenn du Besuch von jemandem bekommst, gehe ganz in dich, werde still. Wenn er dein Zimmer betritt, fühle ganz tief in dir Frieden für ihn. Fühle: „Friede diesem Menschen." Sage es dir nicht bloß, fühle es. Du wirst mit einem Mal eine Veränderung in diesem Menschen feststellen, so als ob etwas Unbekanntes in sein Wesen eingedrungen wäre. Er wird ein ganz anderer Mensch sein, als der, der dich besuchen kam. Probiere es aus.

Osho hat folgende Verspannungstechnik für diejenigen entwickelt, die ständig einem ganz bestimmten Verhaltensmuster verfallen, wenn sie frustriert sind und sich ärgern:

Schließe täglich – zu einer Tageszeit, die dir am besten erscheint – die Tür hinter dir ab, und werde fünfzehn Minuten lang wütend, aber laß es nicht heraus. Treibe es immer mehr an, werde fast verrückt vor Wut, aber laß sie nicht heraus – du läßt nichts raus, verprügelst nicht einmal ein Kissen. Unterdrücke die Wut auf jede nur mögliche Art – verstehst du mich? Es ist ganz genau das Gegenteil von einer Katharsis.

Wenn du im Magen eine Spannung spürst, so als ob dort etwas explodieren wollte, zieh den Magen ein; mache ihn so fest und verkrampft wie du nur kannst. Wenn du spürst, daß sich die Schultern verspannen, spanne sie noch weiter an. Laß den ganzen Körper so verspannt und verkrampft sein wie nur möglich – fast so, als ob du ein Vulkan wärest, der kocht, aber nicht ausbrechen kann. Das ist das Wesentliche – kein Ausbruch, keine Erleichterung, kein Ausdruck! Schreie nicht, denn sonst wird der Magen entspannt. Schlage auf nichts ein, denn sonst werden die Schultern leichter und entspannen sich.

Heize dich fünfzehn Minuten lang richtig auf, bringe dich selbst auf hundert Grad. Bringe die Wut in dieser Viertelstunde zum Siedepunkt. Stelle dir einen Wecker, und wenn er klingelt, gib dein Letztes. Sobald er aufhört zu klingeln, setze dich still hin, schließe die Augen und beobachte einfach, was geschieht. Entspanne den Körper.

Dieses Aufheizen des Körpersystems wird deine alten Verhaltensmuster zum Schmelzen bringen.

Versenke dich ins Gegenteil

Dies ist eine schöne Methode. Sie ist sehr nützlich. Zum Beispiel: Du fühst dich sehr unzufrieden, was tun? Beschäftige dich mit dem Gegenteil.
Wenn du dich unzufrieden fühlst, denke über die Zufriedenheit nach. Was ist Zufriedenheit? Stell den Ausgleich her. Wenn dir Wut im Kopf herum geht, bringe Liebe ins Spiel, denke über Mitgefühl nach; und auf der Stelle ändert sich die Energie, denn sie sind beide das gleiche. Das Gegenteil ist die gleiche Energie.
Wenn du das Gegenteil mit einbringst, wird es absorbiert. Du bist wütend – also versenke dich in Mitgefühl.
Tue eins: Stell dir eine kleine Buddha-Statue hin, denn diese Statue ist das Sinnbild der Menschenliebe. Wann immer du wütend bist, gehe in den Raum, schau dir Buddha an, setze dich wie ein Buddha hin und fühle Liebe. Du wirst fühlen, wie in dir eine Transformation geschieht. Die Wut verändert sich, die Aufregung ist verschwunden, Liebe steigt auf. Und es ist keine andere Energie – es ist dieselbe Energie wie Wut – nur in veränderter Qualität, sie steigt höher.
Versuche es!

„Nicht zwei"

Dies ist eines der ältesten Mantras. Wann immer du dich im Zwiespalt fühlst, wann immer du siehst, daß eine Dualität in dir entsteht, sage dir einfach innerlich: „Nicht zwei." Aber sage es dir mit Bewußtsein; wiederhole es nicht einfach mechanisch. Wann immer du Liebe aufsteigen fühlst, sage dir:
„Nicht zwei", sonst lauert der Haß im Dunkeln – sie sind eins. Wann immer du Haß aufsteigen fühlst, sage: „Nicht zwei." Jedesmal, wenn du dich am Leben festklammerst, sage „Nicht zwei", jedesmal, wenn du Angst vor dem Tod fühlst, sage: „Nicht zwei." Nur eins ist.
Und wenn du das sagst, sollte es aus einem Verstehen heraus kommen. Es sollte voller Intelligenz, durchdringender Klarheit sein, dann wirst du dich innerlich entspannen. In dem Moment, wo du „Nicht zwei" sagst – wenn du es aus einem Verständnis heraus sagst und es nicht nur mechanisch wiederholst – wirst du dich plötzlich klarer fühlen.

Folge dem Ja

Folge einen Monat lang nur dem Ja, gehe immer den Weg, der „Ja" sagt. Arbeite mehr mit dem Ja zusammen – von daher wirst du deine Einheit finden. „Nein" hilft nie, die Einheit zu erreichen. Es ist immer nur das Ja, das hilft, denn Ja ist Akzeptieren, Ja ist Vertrauen, Ja ist Gebet. Wenn du fähig bist, Ja zu sagen, dann bist du religiös.

Und als zweites: Das Nein darf nicht unterdrückt werden. Wenn du es unterdrückst, wird es sich rächen. Wenn du es unterdrückst, wird es immer stärker und stärker, und eines Tages wird es ausbrechen und dein Ja ganz zerstören. Unterdrücke also nie dein Nein, ignoriere es einfach.
Und es ist da ein gewaltiger Unterschied zwischen unterdrücken und ignorieren. Du weißt, es ist da, und du erkennst es an. Du sagst: „Ja, ich weiß, daß du da bist, aber ich werde auf mein Ja hören." Du unterdrückst es nicht, du bekämpfst es nicht, du sagst nicht: „Hau ab, verschwinde, ich will mit dir nichts zu tun haben." Du sagst überhaupt nichts Böses, du versuchst nicht, es wegzustoßen, du versuchst nicht, es in die tiefsten Tiefen deines Unterbewußtseins, in den dunklen Kerker zu werfen. Nein, du tust gar nichts mit deinem Nein; du erkennst schlichtweg, daß es da ist. Aber du folgst dem Ja, ohne Groll in dir, ohne Klagen, ohne Ärger. Folge einfach dem Ja, ohne irgendeine Einstellung dem Nein gegenüber.

Das Ignorieren ist der beste Kniff, um das Nein auszulöschen. Wenn du mit dem Nein kämpfst, bist du bereits ein Opfer, auf ganz subtile Art und Weise sein Opfer; das Nein hat schon über dich gesiegt. Wenn du mit dem Nein kämpfst, hast du nein zum Nein gesagt. Auf diese Art und Weise hat es dich durch die Hintertür geschnappt. Sage nicht nein, nicht einmal zum Nein – ignoriere es einfach.

Folge einen Monat lang deinem Ja und kämpfe nicht mit dem Nein. Du wirst überrascht feststellen, daß es nach und nach ganz mager und dünn wird, weil es ausgehungert wird, und eines Tages wird es ganz verschwinden. Und wenn es nicht mehr da ist, wird all die Energie frei, die es abgezogen hatte, und diese freigesetzte Energie wird dein Ja zu einem großen Strom machen.

Schließe Freundschaft mit einem Baum

Ich sage nicht, daß das Meditieren Probleme des täglichen Lebens löst. Ich sage nur, daß, wenn du meditativ bist, die Probleme verschwinden – sie werden nicht gelöst. Es ist gar nicht notwendig, ein Problem zu lösen, denn ein Problem entsteht nur dadurch, daß du ein Problem lösen willst.

Gehe zu einem Baum, rede mit ihm, berühre ihn, umarme ihn, fühle ihn, sitze neben dem Baum, lasse den Baum fühlen, daß du ein guter Mensch bist, und daß du ihm nichts Böses antun willst.

Nach und nach wirst du dich mit ihm anfreunden, und bald wirst du spüren, daß der Baum sich verwandelt, wenn du dich ihm näherst. Wenn du seine Rinde berührst, wirst du spüren, daß eine enorme Energie durch den Baum fließt. Wenn du den Baum berührst, ist er glücklich wie ein Kind, wie eine Geliebte. Wenn du bei ihm sitzt, wirst du vieles fühlen – du bist zum Beispiel traurig, und bald spürst du, daß deine Traurigkeit in seiner Nähe verschwindet.

Jetzt wirst du verstehen können, daß die Beziehung gegenseitig ist. Du kannst den Baum glücklich machen, und der Baum kann dich glücklich machen; und so hängt alles Leben miteinander zusammen. Diesen Zusammenhang nenne ich Gott.

Bist du hier?

Nur Meditation kann dem Denken beikommen – nichts sonst.

Rufe dich selbst beim Namen, morgens, abends, nachmittags. Jedesmal, wenn du dich schläfrig fühlst, rufe dich beim Namen. Und rufe dich nicht nur, antworte auch und rede laut mit dir selbst. Hab' keine Angst vor den anderen. Du hast lange genug Angst vor ihnen gehabt, sie haben dich vor lauter Angst schon umgebracht. Hab' keine Angst, denke sogar mitten im größten Gewühl daran. Rufe dich beim Namen: „Teertha, bist du hier?" Und antworte dir: „Hier!"

Am Nachmittag
Sitzen, Schauen, Hören

Meditation ist ein Abenteuer – das größte, in das sich der menschliche Geist stürzen kann. Meditation heißt: einfach da sein, ohne irgend etwas zu tun – kein Handeln, kein Gedanke, keine Gefühlsregung. Du bist. Und das ist reinstes Entzücken. Woher kommt dies Entzücken, da du doch gar nichts tust? Von nirgendwo oder von überall her. Es kommt unverursacht, denn die Schöpfung ist aus dem Stoff, der Freude heißt.

Meditation hat kein Ziel

Meditation entsteht erst dann, wenn du dir alle Motive angeschaut und festgestellt hast, daß sie nicht gut genug sind, wenn du allen Motiven nachgegangen bist und gesehen hast, daß sie alle verlogen sind. Du hast gesehen, daß Motive nirgendwohin führen, daß du dich ständig im Kreis bewegst; daß du dabei derselbe bleibst. Die Motive führen dich, treiben dich, sie treiben dich fast in den Wahnsinn, schaffen neue Sehnsüchte, aber nichts kommt je dabei heraus. Deine Hände bleiben so leer wie je. Wenn du das gesehen hast, wenn du dir dein Leben ganz genau angeschaut hast und gesehen hast, wie alle deine Motive versagt haben...

Noch nie hat irgendein Motiv zum Erfolg geführt, noch nie hat ein Motiv auch nur einem einzigen Menschen Segen gebracht. Motive geben nur Versprechen; die Ware wird nie geliefert. Wenn das eine Motiv versagt hat, kommt sofort ein neues Motiv und gibt dir neue Versprechungen... und du wirst wieder eine Enttäuschung erleben. Wenn du von einer Enttäuschung zur andern getrieben worden bist, wirst du eines Tages plötzlich aufwachen – mit einem Mal siehst du es plötzlich, und dieses Sehen ist der Anfang der Meditation. Sie hat keinen Samen in sich, sie hat keine Motivation. Wenn du zweckbestimmt meditierst, dann ist das keine Meditation, sondern du konzentrierst dich auf etwas. Du bist noch in der Welt – immer noch billigen, trivialen Dingen

verhaftet. Du bist weltlich. Selbst wenn du meditierst, um zur Göttlichkeit zu gelangen, bist du weltlich. Selbst wenn du meditierst, um ins Nirvana zu gelangen, bist du weltlich – denn Meditation hat überhaupt kein Ziel.
Meditation ist die Einsicht, daß alle Ziele falsch sind. Meditation ist das Verstehen, daß Wünsche und Verlangen nirgendwo hinführen.

Sitzen

Meditieren heißt, ein paar Minuten dem Nichtstun zu widmen. Anfänglich wird es dir schwerfallen – am Anfang ist es die schwierigste Sache von der Welt, am Ende die einfachste überhaupt. Es ist so einfach, deshalb ist es so schwierig.

Wenn du jemandem sagst, er solle sich hinsetzen und gar nichts tun, wird er zappelig; er bekommt das Gefühl, daß ihm Ameisen an den Beinen hochkrabbeln, oder daß sonst irgendetwas in seinem Körper vor sich geht. Er wird so unruhig, weil er gewohnt ist, ständig mit etwas beschäftigt zu sein. Er ist wie ein Auto, die Zündung ist eingeschaltet, der Motor brummt, aber der Wagen fährt nicht, der Motor läuft und wird immer heißer. Du hast ganz vergessen, wie man die Zündung ausschaltet. Und das ist Meditation: die Kunst, die Zündung auszuschalten.

Atmen – Das tiefste Mantra

Der Atem dringt ein – laß dein ganzes Wesen dieses Einatmen widerspiegeln. Du atmest aus – lasse dein ganzes Wesen das Ausatmen widerspiegeln, und du wirst eine unbeschreibliche Ruhe und Stille fühlen. Wenn du beobachten kannst, wie der Atem ein- und ausgeht, wie du einatmest und ausatmest, benutzt du das tiefste Mantra, das je erfunden worden ist.

Du atmest hier und jetzt. Du kannst weder morgen atmen, noch kannst du gestern atmen. Atmen mußt du in diesem Augenblick, aber du kannst an morgen denken, und du kannst an gestern denken. Der Körper lebt also immer in der Gegenwart und der Geist hüpft zwischen Vergangenheit und Zukunft hin und her; dadurch entsteht die Spaltung zwischen Körper und Geist. Der Körper ist in der Gegenwart, und der Verstand ist nie in der Gegenwart, und so treffen sich die beiden nie. Sie kommen nie zusammen. Und dieser Zwiespalt ist der Grund, warum Angst, Anspannung und Leid entstehen. Wir sind verkrampft, diese Verkrampfung ist Sorge. Der Geist muß ins Hier und Jetzt gebracht werden, denn es gibt keine andere Zeit.

Osho spricht über Vipassana

Du mußt erstmal tanzen – damit du deine Rüstung verlierst. Du mußt erstmal vor lauter Freude schreien und singen, damit du lebendiger wirst. Du mußt dich erstmal austoben, so daß alles, was du unterdrückt hast, hinausgeschleudert wird und dein Körper entgiftet wird und deine Seele von allen verborgenen Wunden geheilt wird. Wenn das geschehen ist, und du endlich lachen und lieben kannst, dann Vipassana.

Sitze ganz still, beobachte deinen Atem. Am leichtesten kannst du ihn beobachten, wenn du die Atemluft an den Nasenflügeln fühlst. Wenn der Atem einströmt, fühle die Berührung des Atems am Eingang der Nase – beobachte ihn hier. Die Berührung am Nasenflügel ist leichter zu beobachten, der Atem selbst ist zu fein: beobachte zu Beginn nur die Berührung an den Nasenflügeln. Der Atem strömt ein, und du fühlst, wie er einströmt: Sei ganz aufmerksam. Und dann folge dem Atem, gehe mit ihm. Du wirst feststellen, daß eine Stelle kommt, wo er anhält. Irgendwo ganz in der Nähe des Nabels bleibt er stehen – einen winzig, winzig kleinen Moment lang, für die Dauer eines *pal*, hält er an. Dann geht er wieder zurück nach außen; folge ihm – fühle wieder die Berührung, fühle, wie der Atem durch die Nase hinausströmt. Folge ihm, gehe mit ihm nach außen – und du erlebst wieder einen winzigen Moment, wo der Atem erneut anhält.

Dann beginnt der Kreislauf wieder von vorne.
Einatmen, Lücke, Ausatmen, Lücke, Einatmen, Lücke.
Diese Lücke ist das Erstaunlichste, was es in dir gibt. Der Atem strömt herein, hält an, und jede Bewegung hört auf – das ist der Augenblick, in dem du Gott begegnen kannst. Das gleiche, wenn der Atem ausströmt und anhält. Merke, du sollst den Atem nicht anhalten; er bleibt von selbst stehen. Wenn du ihn anhältst, dann versäumst du die Erfahrung, dann kommt der Agierende dazwischen, und du kannst nicht der Beobachter, der Zeuge sein. Du darfst überhaupt nichts dazu tun. Du sollst die Atmung nicht manipulieren, du sollst weder einatmen noch ausatmen. Es ist nicht wie beim *pranayam* des Yoga, wo du den Atem beeinflußt; das ist nicht Vipassana. Du greifst nicht im mindesten in die Atmung ein – du läßt den Atem natürlich gehen, erlaubst ihm, ganz natürlich zu fließen. Wenn der Atem ausströmt, folgst du ihm; wenn er einströmt, folgst du ihm.
Und bald wirst du bemerken, daß es zwei Lücken gibt. In diesen beiden Lücken ist die Tür. Und in diesen beiden Lücken wirst du verstehen, wirst du sehen, daß der Atem selbst nicht das Leben ist – es ist vielleicht die Nahrung für das Leben, wie andere Nahrung für den Körper auch, aber nicht das Leben selbst. Denn wenn der Atem anhält, bist du da, voll und ganz da – du bist ganz bewußt, völlig bewußt. Und der Atem steht still – und doch bist du da.
Und wenn du erst einmal dabei bleiben kannst, den Atem zu beobachten – was Buddha Vipassana oder *Anapanasati*

Yog nennt – wenn du immer weiter und weiter beobachtest, wirst du nach und nach sehen, daß die Lücke wächst und größer wird. Schließlich kommt es soweit, daß die Lücke über Minuten hinweg dableibt. Ein Atemzug strömt ein, und da ist die Lücke... und minutenlang strömt der Atem nicht aus. Alles steht. Die Welt ist stehengeblieben, die Zeit ist stehengeblieben, das Denken ist stehengeblieben. Denn wenn der Atem still steht, ist Denken nicht möglich. Und wenn der Atem über mehrere Minuten hin still steht, dann ist Denken absolut unmöglich – denn für den Denkvorgang ist eine ständige Zufuhr von Sauerstoff notwendig; und Denkvorgang und Atmung sind zwei sehr tief miteinander verbundene Prozesse.

Wenn du wütend bist, geht dein Atem in einem völlig anderen Rhythmus; wenn du sexuell erregt bist, atmest du wieder ganz anders; wenn du still bist – wieder ein anderer Rhythmus. Wenn du glücklich bist, wenn du traurig bist, der Atem folgt jedesmal einem anderen Rhythmus. Der Atem paßt sich deinen Stimmungen an. Ebenso umgekehrt: wenn sich der Atemrhythmus verändert, ändert sich deine Laune. Und wenn der Atem stehenbleibt, bleibt auch der Verstand stehen.

In diesem Stillstand des Geistes, des Denkens, hält die ganze Welt an – denn der Verstand ist die Welt. Und in dieser Lücke lernst du zum ersten Mal, was der Atem im Atem ist; das Leben im Leben. Diese Erfahrung ist befreiend. Diese Erfahrung macht dir Gott bewußt – und Gott ist nicht eine Person, es ist die Erfahrung des Lebens selbst.

Neo-Vipassana
Buddhas Meditation der Einsicht

Meditation heißt, von deiner eigenen Gegenwart entzückt zu sein.
Meditation ist das Entzücken an deinem eigenen Wesen.

Suche dir einen Platz, an dem du bequem vierzig bis sechzig Minuten lang sitzen kannst. Es ist vorteilhaft, jeden Tag zur selben Zeit am selben Platz zu sitzen; es muß nicht unbedingt ein ruhiger Ort sein. Experimentiere so lange, bis du einen Ort und eine Zeit gefunden hast, wo du dich am besten fühlst. Du kannst eine oder zwei Sitzungen am Tag machen, solltest aber mindestens eine Stunde nach dem Essen warten und nicht später als eine Stunde vor dem Schlafengehen sitzen.
Es ist wichtig, daß Kopf und Rücken eine gerade Linie bilden. Schließe die Augen und halte den Körper so ruhig wie möglich. Du kannst auf einem Meditationsbänkchen sitzen, auf einem Stuhl mit hoher Lehne oder auf ein paar Kissen.
Es gibt keine bestimmte Atemtechnik, die man beachten muß; atme einfach ganz normal und natürlich. Vipassana beruht auf Atemwahrnehmung; das Auf- und Abgehen des Atems soll also beobachtet werden – entweder in der Magengegend oder am Solarplexus oder an der Nase.
Vipassana ist nicht Konzentration; so gibt es auch keine Regel, die dir vorschreibt, eine ganze Stunde lang den Atem zu beobachten. Wenn Gedanken, Gefühle oder körperliche Empfindungen aufkommen, oder wenn du auf irgendwelche Laute,

Gerüche oder Geräuschfetzen von draußen aufmerksam wirst, ignoriere sie nicht, nimm sie einfach wahr. Was auch immer gerade geschieht kannst du beobachten – wie die Wolken am Himmel. Du läßt sie vorüberziehen. Weder willst du sie, noch willst du sich nicht. Wenn nichts deine Aufmerksamkeit anzieht, kehre zum Atem zurück. Und denke daran, es gibt nichts Bestimmtes, das passieren soll oder muß. Es gibt hier weder Erfolg noch Mißerfolg – noch gibt es etwas zu verbessern. Nichts, was du herausfinden oder analysieren sollst, aber du kannst überraschende Einsichten gewinnen: so können zum Beispiel Fragen und Probleme dir jetzt einfach als Geheimnisse erscheinen, die Spaß machen, und die Neo-Vipassana gibt dir die Gelegenheit, dich weniger mit dem Körper/Verstand und der Welt um dich herum zu identifizieren – um, wie Osho es ausdrückt, der Beobachter auf dem Berg zu sein.

Osho spricht über Energieaufwallungen, die Anfänger während der Vipassana Meditation oft erleben:

Während der Vipassana fühlt man sich manchmal sehr sinnlich; weil du so still bist und keine Energie vergeudest. Normalerweise verschwenden wir sehr viel Energie und erschöpfen uns dadurch. Wenn du untätig dasitzt, bist du ein stiller Teich voller Energie, und der Teich wächst und wird immer voller und voller. Irgendwann kommt dann ein Punkt, an dem er fast überfließt... und dann fühlst du alle deine Sinne. Du verspürst eine bisher ungekannte Sensitivität, Sinnlichkeit, manchmal sogar sexuelle

Erregung – es ist so, als ob alle deine Sinne erfrischt, jünger, lebendiger geworden wären, als ob der Staub von dir abgefallen sei, als ob du ein Bad genommen, dich geduscht hättest. Das kommt vor.

So kommt es, daß buddhistische Mönche nicht viel essen. Sie brauchen es nicht. Sie machen Vipassana schon seit Jahrhunderten. Sie essen einmal am Tag – noch dazu ein sehr dürftiges Mahl; ein kleines Frühstück, mehr nicht... Sie schlafen auch nicht viel, sind aber voller Energie. Und sie sind nicht etwa weltfremd und faul – sie arbeiten hart. Es ist absolut nicht so, daß sie nicht arbeiten würden. Sie hacken Holz, arbeiten im Garten, auf dem Feld, versorgen Tiere; sie arbeiten den ganzen Tag lang. Was ist mit ihnen geschehen? Sie verschwenden keine Energie.

Durch ihre Sitzhaltung sparen sie Energie. Die Buddhisten sitzen im Lotos-Sitz und dabei treffen die Körperextremitäten aufeinander – ein Fuß liegt auf dem anderen, eine Hand liegt auf der anderen. An diesen Stellen fließt die Energie nach draußen ab; die Energie kann den Körper nur über einen abstehenden Körperteil verlassen. Deshalb ist auch das männliche Geschlechtsteil ein abstehendes Körperorgan, denn es muß viel Energie abgeben. Es ist fast wie ein Sicherheitsventil. Wenn du zu viel Energie in dir hast und nichts damit anfangen kannst, setzt du sie im Geschlechtsakt frei.

Die Frau setzt im Geschlechtsakt keine Energie frei. Deshalb kann eine Frau – im Gegensatz zum Mann – sehr häufig in einer Nacht Geschlechtsverkehr haben.

Eine Frau kann sogar Energie dabei konservieren, wenn sie weiß, wie das geht; sie kann sogar neue Energie dabei gewinnen.

Vom Kopf wird keine Energie nach außen freigegeben. Der Kopf wurde von der Natur als Kugel geformt. Das Gehirn verliert also keine Energie; es konserviert – denn das Gehirn ist das wichtigste Organ, die Management-Zentrale deines Körpers. Es muß geschützt werden – und so wird es durch den runden Schädel geschützt.

Aus einem runden Ding kann keine Energie entweichen. Deshalb sind auch alle Planeten rund. Wäre das nicht so, würde ständig Energie entweichen, und sie würden zugrunde gehen.

Wenn du sitzt, wirst du abgerundet; eine Hand berührt die andere. Wenn also aus einer Hand Energie strömt, geht sie in die andere Hand über. Ein Fuß berührt den anderen... und so wie du sitzt, bildest du fast einen Kreis. Die Energie kreist in dir. Sie geht nicht nach außen. Sie wird bewahrt; und nach und nach wirst du zu einem Teich. Nach und nach wirst du fast so etwas wie eine Völle im Bauch verspüren.

Es kann sein, daß du ganz nüchtern bist, daß du gar nichts zu dir genommen hast, aber du spürst eine gewisse Völle. Und dann diese Aufwallung von Sinnlichkeit. Aber dies ist ein gutes Zeichen, ein sehr sehr gutes Zeichen. Also genieße es.

Astronaut im inneren All

In tiefer Meditation kann es sehr oft vorkommen, daß du dich schwerelos fühlst, als ob dich nichts mehr am Boden halten könnte, als ob du einfach abheben und zum Himmel aufsteigen könntest, wenn du nur willst. Der ganze Himmel gehört dir. Wenn du aber die Augen aufmachst, siehst du plötzlich, daß dein Körper da ist, daß die Erde und die Schwerkraft da sind. Mit geschlossenen Augen, tief in der Meditation versunken, hattest du deinen Körper ganz vergessen, du hattest dich in einer anderen Dimension bewegt; der Dimension der Gnade, des Göttlichen.

Genieße das, lasse es geschehen, denn wenn du erst einmal anfängst zu denken, daß es verrückt ist, dann stoppst du es, und dieses Anhalten stört deine Meditation. Genieße es, so wie du einen Flug im Traum genießt. Schließe deine Augen. Wenn du meditierst, dann gehe überall hin, wo du nur willst, steige höher und höher in den Himmel, und vieles mehr wird bald für dich erreichbar sein. Und hab' keine Angst. Es ist das größte Abenteuer, das es gibt, es ist abenteuerlicher, als auf den Mond zu fliegen; ein Astronaut des inneren Universums zu werden, ist das größte Abenteuer überhaupt.

Osho schlägt folgende schöne Technik für diejenigen vor, die von dem Gefühl des Fliegens und physischer Unbeständigkeit irritiert werden:

Setze dich auf dein Bett, fünf oder zehn Minuten lang, und stelle dir mit geschlossenen Augen bildlich vor, fühle, wie dein Körper größer wird, und größer, größer, größer. Mache ihn so groß wie nur irgend möglich – so groß, daß er fast die Wände deines Zimmers berührt.

Du wirst bald das Gefühl bekommen, daß du deine Hände nicht mehr bewegen kannst – es ist sehr schwer... dein Kopf berührt die Decke. Probiere das zunächst einmal zwei oder drei Tage lang, gehe in dieses Gefühl hinein; dann fange an, über diesen Raum hinauszugehen. Fülle das ganze Haus aus, und du wirst das Gefühl haben, daß das Zimmer in dir drinnen ist. Danach verbreite dich über die Mauern des Hauses hinaus – erfülle die ganze Nachbarschaft, und fühle, wie die ganze Nachbarschaft in dir ist. Und dann fülle den Himmel, und fühle die Sonne, den Mond und die Sterne, fühle, wie sie sich in deinem Inneren bewegen.

Dies machst du zehn bis zwölf Tage lang. Nach und nach, ganz langsam, fülle den ganzen Himmel aus. An dem Tag, an dem du den ganzen Himmel ausgefüllt hast, gehe in die entgegengesetzte Richtung. Werde jetzt, wieder zwölf Tage lang, ganz klein. Sitze diesmal auf deinem Bett und stelle dir vor, daß du ganz klein wirst. Mache genau das gleiche wie an den Tagen vorher, nur in entgegengesetzter Richtung. Dein Körper ist gar nicht so groß, wie er aussieht – er ist auf einen halben Meter Größe zusammengeschrumpft. Du bist wie ein kleines Spielzeug – und du fühlst es auch. Wenn du dich riesig groß fühlen kannst,

kannst du dich auch winzig klein fühlen. Dann fühlst du dich sogar noch kleiner – so klein, daß du dich selbst in der Hand halten kannst. Und dann sogar noch kleiner... immer noch kleiner. Und mache dich in diesen zwölf Tagen so klein, daß du dich nicht mehr finden kannst. Du bist zu einem so winzigen Atömchen geworden, daß du dich nicht wiederfinden kannst.

Mache dich so groß wie das ganze Universum und dann so winzig klein wie ein unsichtbares Atom – zwölf Tage das eine, zwölf Tage das andere. Du wirst dich danach so schön fühlen, so glücklich und zentriert, wie du es dir nicht vorstellen kannst.

Meditation kann dir die größten Einblicke, die größten Lichtblicke schenken, denn sie ist das Nutzloseste von der Welt. Du tust einfach gar nichts, du gehst einfach ins Schweigen hinein. Das ist mehr als nur Schlaf, denn im Schlaf bist du unbewußt, und alles was geschieht, geschieht ohne Bewußtsein. Du magst im Paradies sein, aber du weißt es nicht. In Meditation bleibst du bewußt und erkennst den Weg: er führt heraus aus der nutzbringenden Welt der äußeren Dinge, hinein in die nutzlose Welt des Inneren. Und wenn du erst einmal den Weg kennst, dann kannst du jederzeit einfach nach innen gehen. Wenn du in einem Bus fährst, brauchst du nichts zu tun, du sitzt einfach; wenn du im Auto, im Zug oder im Flugzeug unterwegs bist, tust du gar nichts, alles wird von anderen getan; du kannst deine Augen schließen und ins Nutzlose, in dein Inneres gehen. Und auf einmal wird alles still, und auf einmal ist alles gelassen, und du bist plötzlich die Quelle allen

Lebens. Aber sie hat keinen Marktwert. Du kannst nicht hineingehen und sie verkaufen, du kannst nicht sagen: Ich habe eine tolle Meditation zu bieten. Will sie jemand kaufen? Niemand wird sie kaufen wollen. Sie ist keine Ware. Sie ist nutzlos.

„Eins"

Der erste Schritt: setze dich in einen Sessel und entspanne dich, mach's dir bequem. Der zweite Schritt: schließe die Augen. Der dritte Schritt: entspanne die Atmung. Lasse den Atem so natürlich wie möglich gehen. Mit jedem Ausatmen sage: „Eins". Wenn der Atem ausströmt, sage: „Eins"; atme ein und sage nichts. Bei jedem Ausatmen sagst du einfach: „Eins" ... „eins" ... „eins". Und sage es nicht nur, fühle auch, daß die ganze Existenz eins ist, sie ist eine Einheit. Sage es nicht nur mechanisch, sondern habe das Gefühl – und es hilft dir, wenn du dabei „eins" sagst. Mache das zwanzig Minuten lang jeden Tag. Richte es dir so ein, daß dich niemand dabei stört. Du kannst die Augen aufmachen und auf die Uhr schauen, aber stelle dir nicht den Wecker. Alles, was dich in Schrecken versetzen kann, ist schlecht; es ist also besser, kein Telefon im Raum zu haben, und es sollte auch niemand anklopfen. In diesen zwanzig Minuten mußt du absolut entspannt sein. Wenn zu viel Lärm von außen kommt, stopf dir Watte in die Ohren. Diese Methode, bei jedem Ausatmen „eins" zu sagen, wird dich so ruhig und still und so gesammelt machen, wie du es dir nicht vorstellen kannst. Mache es immer tagsüber, nie abends; wenn du es abends machst, stört es deinen Schlaf, denn du wirst dich danach so entspannt fühlen, daß du dich überhaupt nicht müde fühlst. Du wirst dich sehr erfrischt danach fühlen. Die beste Zeit ist am Morgen; sonst nachmittags, aber mache es nie nachts.

Das innere Lächeln

Nur Meditation kann dir wirklich helfen, denn du führst sie niemandem vor, sondern machst sie mit dir selbst aus. Du kannst dabei absolut frei sein. Es braucht dich nicht zu kümmern, was die anderen denken.

Wenn du irgendwo sitzt und nichts zu tun hast, entspanne deinen Unterkiefer und öffne den Mund leicht. Fange an, durch den Mund zu atmen, atme nicht tief. Überlasse es dem Körper zu atmen, dann wird der Atem flach und immer flacher. Und wenn du spürst, daß der Atem sehr flach ist, und der Mund ist offen und dein Unterkiefer entspannt, dann wird sich dein ganzer Körper entspannt fühlen.

Wenn du so entspannt bist, fühle ein Lächeln in dir aufgehen – nicht im Gesicht, sondern über dein ganzes inneres Wesen verbreitet... und du wirst es können. Es ist nicht ein Lächeln der Lippen – es ist ein existentielles Lächeln, das sich nur im Innern ausbreitet.

Versuche es, und du wirst wissen, was gemeint ist... man kann es nämlich nicht erklären. Es ist nicht nötig, mit den Lippen zu lächeln, es ist so, als ob du vom Bauch her lächelst; der Bauch lächelt. Und es ist ein Lächeln, nicht ein Lachen, es ist also sehr sehr sanft, sehr zart, zerbrechlich – wie eine kleine Rose, die sich im Bauch öffnet, und deren Duft sich über den ganzen Körper verbreitet.

Am Nachmittag

Wenn du einmal erfahren hast, was dieses Lächeln ist, kannst du vierundzwanzig Stunden am Tag glücklich bleiben. Und wann immer du dieses Glück vermißt, schließe einfach die Augen und fange dieses Lächeln wieder ein, und du wirst dich wieder glücklich fühlen. Du kannst jeden Tag so oft du willst dieses Lächeln wiederfinden. Es ist immer da.

Osho

*Meditation ist nicht wirklich eine Suche nach der Erleuchtung.
Die Erleuchtung kommt ohne jede Suche.*

Sage einfach bei jedem Ausatmen innerlich „Osho"; nicht sehr laut – nur ein Flüstern, aber ein innerliches, so daß nur du es hören kannst. Wenn der Atem einströmt, warte. Wenn der Atem ausströmt, rufst du mich und erlaubst mir, hereinzukommen.
Tue nichts – warte nur; deine Arbeit liegt also nur im Ausatmen.
Wenn du ausatmest, gehe ins Universum hinaus. Das Ausatmen ist fast wie ein Eimer, den du in einen Brunnen wirfst. Und das Einatmen, wie wenn du den Eimer aus dem Brunnen herausziehst. Mache das nur zwanzig Minuten lang. Vier oder fünf Minuten, um dich einzustimmen, und danach bleibst du zwanzig Minuten lang dabei. Alles in allem also höchstens fünfundzwanzig Minuten.
Du kannst es jederzeit machen, tagsüber oder nachts.

Zazen

Dies ist die Meditation der japanischen Buddhisten, um zur Erkenntnis zu gelangen.

Zazen ist tiefes Unbeschäftigtsein; es ist nicht einmal Meditation, denn wenn du meditierst, versuchst du, etwas zu tun: Du willst dir deine Göttlichkeit in Erinnerung bringen oder gar dein Selbst. Solche Anstrengungen setzen Wellen in Gang.

Du kannst sitzen, wo du willst, nur darf nichts Aufregendes in deinem Blickfeld sein. Zum Beispiel nicht zu viel Bewegung um dich herum. Das würde ablenken. Du kannst die Bäume anschauen, das ist kein Problem – Bäume bewegen sich nicht von der Stelle, und die Szene bleibt immer die gleiche. Du kannst in den Himmel schauen oder in einer Zimmerecke sitzen und die Wand anschauen.
Zweitens: Du darfst deinen Blick auf nichts Bestimmtes richten – du schaust einfach ins Leere, denn die Augen sind schließlich da und irgendetwas muß man anschauen, aber du schaust auf nichts Bestimmtes. Dein Blick ist auf nichts gerichtet, du konzentrierst dich auf nichts – du hast nur ein diffuses Bild. Das ist sehr entspannend.
Und drittens: Entspanne dein Atmen. Tu es nicht, lasse es geschehen. Lasse es ganz natürlich sein, das entspannt noch mehr.

Viertens: Halte deinen Körper so ruhig und unbewegt wie möglich. Suche dir zunächst eine bequeme Stellung – du kannst auf einem Kissen sitzen, auf einer Matratze, worauf du willst, aber wenn du erst einmal deine Stellung gefunden hast, bewege dich nicht mehr, denn wenn sich der Körper nicht bewegt, beruhigt sich der Verstand von selbst. Ist der Körper in Bewegung, bewegt sich auch der Geist, denn Körper und Geist sind nicht zwei getrennte Dinge. Sie sind eins... es ist ein und dieselbe Energie.

Anfänglich wird es dir etwas schwerfallen, aber nach ein paar Tagen wirst du es ungeheuer genießen. Du wirst sehen, wie der Verstand ganz allmählich, Schicht um Schicht von dir abfällt. Dann kommt der Augenblick, wo du ganz einfach da bist – ohne Gedanken.

Bodhidharma saß neun Jahre lang mit dem Gesicht zur Wand, ohne etwas zu tun, saß nur da, neun Jahre lang. Die Legende sagt, daß ihm die Beine nach und nach abstarben. Für mich hat das eine symbolische Bedeutung. Es bedeutet einfach, daß alle Bewegungen abstarben, weil alle Motivation verschwand. Er ging nirgendwo hin. Es war kein Verlangen da; kein Ziel lockte – und er erreichte das Höchste, was es überhaupt gibt. Er gehört zu den kostbarsten Seelen, die je auf der Erde geweilt haben. Er erreichte das Höchste, nur, indem er einfach vor einer Wand saß; er tat nichts, er hatte keine Technik, keine Methode, nichts. Dies war seine einzige Technik.

Wenn es nichts zu sehen gibt, dann verschwindet nach und nach dein Interesse am Sehen. Wenn du immer nur eine nackte Wand anstarrst, entsteht parallel auch eine Leere und Nacktheit in dir. Während du die Wand anstarrst, entsteht in dir eine andere Wand – die des Nicht-Denkens. Sei empfänglich.

Die Haltung der Hände – zu einer Schale geformt, bereit zum Empfangen – ist sehr bedeutungsvoll. Sie macht dich empfänglich, sie hilft dir, aufnahmefähig zu sein. Es ist eine der althergebrachten Stellungen – alle Buddhas saßen so. Wann immer du dich offen fühlst, oder offen sein möchtest, wird diese Haltung der Hände helfen.

Sitze still und warte. Sei ein Empfänger – eine Aufnahmestation. So als wärst du am Telefon: Du hast eine Nummer gewählt, du hast den Hörer in der Hand und wartest. Warte genau in dieser Stimmung, und innerhalb von zwei, drei Minuten wirst du dich von einer total anderen Energie umgeben fühlen, innerlich erfüllt sein... die Energie fällt in dich hinein, so wie Regen, der auf die Erde fällt, und der immer tiefer und tiefer eindringt und die Erde saugt ihn auf.

Stellungen sind von großer Bedeutung. Solange die Leute keinen Fetisch daraus machen, sind sie sehr bedeutungsvoll. Sie helfen dabei, eine Strömung in deiner Körperenergie herzustellen. Es ist zum Beispiel sehr schwierig, in dieser Haltung wütend zu werden. Mit geballten Fäusten und zusammengebissenen Zähnen ist es sehr leicht, wütend zu werden. Wenn der ganze Körper entspannt ist, wird man nicht leicht aggressiv, gewalttätig, und es fällt sehr leicht, andächtig zu sein.

Den Geist hat noch niemand gefunden.
Alle, die nach ihm geforscht haben,
mußten immer wieder entdecken, daß es ihn nicht gibt.

Meditierer werden für Realitätsflüchtlinge gehalten.
Das ist völliger Unsinn. Einzig und allein der Meditierer ist kein
Realitätsflüchtling – jeder andere ist es. Meditation heißt,
aus dem Wünschen, aus den Gedanken, aus dem Kopf
herauskommen. Meditation heißt, sich im Augenblick,
in der Gegenwart zu entspannen. Meditation ist das einzige auf
der Welt, das keine Realitätsflucht ist, obwohl es jedermann
behauptet. Diejenigen, die Meditation verdammen,
tun dies immer mit dem Argument, daß es eine Flucht sei,
eine Flucht vor dem Leben. Sie reden puren Unsinn;
sie wissen nicht, was sie sagen.
Meditation ist keine Flucht vor dem Leben,
es ist eine Flucht in das Leben hinein.
Der Verstand flieht vor dem Leben,
Begierde flieht vor dem Leben.
Meditation heißt: die Augen aufmachen.
Meditation heißt: sehen.

Schauen

Meditation ist nichts weiter als die Kunst, deine Augen aufzumachen, die Kunst, deine Augen zu säubern, die Kunst, den Staub wegzuwischen, der sich auf dem Spiegel deines Bewußtseins angesammelt hat. Es ist natürlich, daß sich Staub ansammelt. Die Menschen sind gereist und gereist, in Tausenden von Leben – da sammelt sich Staub an. Wir alle sind Reisende, viel Staub hat sich angesammelt – und zwar so viel, daß der Spiegel vollkommen darunter verschwunden ist. Da ist Staub über Staub, eine Schicht über der anderen, und der Spiegel ist nicht mehr zu sehen. Aber er ist immer noch da – er kann gar nicht verlorengehen, weil er unsere innerste Natur ist. Wenn er uns verlorengehen könnte, könnte er nicht unsere Natur sein. Nicht, daß du einen Spiegel hast: du bist der Spiegel. Der Reisende ist der Spiegel. Er kann den Spiegel nicht verlieren, er kann ihn lediglich vergessen – Vergeßlichkeit, nichts weiter.

Der einzig existentielle Augenblick ist jetzt. Sieh ihn dir an – das ist Meditation. Dieser Blick ist Meditation. Einfach nur die Gegebenheit dessen, was zu sehen ist, das ist Meditation. Meditation hat keine Motivation, sie hat also keinen Mittelpunkt. Und weil sie kein Motiv in sich birgt, weil sie kein Zentrum hat, gibt es in der Meditation auch kein Ich. Du funktionierst dann nicht aus einem Zentrum heraus, von einem Mittelpunkt her; wenn du in Meditation bist, handelst du aus dem Nichts heraus.

Der Widerhall aus dem Nichts heraus – das ist Meditation. Konzentrierter Geist handelt aus der Vergangenheit heraus. Meditation handelt in der Gegenwart, aus der Gegenwart heraus. Sie ist eine ungetrübte, lebendige Antwort auf das Gegenwärtige, sie ist nicht Reaktion. Sie kommt nicht aus logischer Schlußfolgerung, sie ergibt sich aus dem Sehen dessen, was ist.

Schauen ohne Worte
Versuche, bei ganz kleinen Dingen das Denken aus dem Spiel zu lassen. Du betrachtest eine Blume – du schaust sie einfach nur an. Sage nicht zu dir selbst „schön", „häßlich". Sage überhaupt nichts. Komm nicht mit Worten, verbalisiere nicht. Schau einfach. Der Kopf wird sich unbehaglich, unwohl fühlen. Der Kopf würde gern etwas sagen. Du sagst ihm aber einfach: „Sei ruhig, laß mich das betrachten, ich will es nur anschauen."
Anfänglich ist das sicher schwierig, aber fange mit Dingen an, mit denen du nicht allzuviel zu tun hast. Es ist sehr schwer, deine Frau zu betrachten, ohne daß Worte ins Spiel kommen. Du bist zu sehr verstrickt, zu sehr emotional mit ihr verbunden. Ob du nun ärgerlich auf sie bist, oder verliebt in sie – du bist auf jeden Fall mit ihr beschäftigt.
Betrachte Dinge, die neutral sind – einen Stein, eine Blume, einen Baum, die aufgehende Sonne, einen Vogel im Flug, eine Wolke am Himmel.
Schau dir nur solche Dinge an, in die du innerlich nicht

verwickelt bist, von denen du Abstand halten kannst, bei denen du indifferent bleiben kannst. Fange mit neutralen Dingen an und gehe erst dann langsam zu emotional geladenen Situationen über.

Die Farbe der Stille

Wann immer du etwas Blaues siehst, zum Beispiel das Blau des Himmels, das Blau eines Flusses, dann setze dich hin und schau in dies Blau hinein, und du wirst dich tief darauf einstimmen. Eine große Stille wird über dich kommen, wenn du vor der Farbe Blau meditierst.

Blau ist eine der spirituellsten Farben, denn es ist die Farbe der Ruhe, der Stille. Es ist die Farbe der Gelassenheit, der Erholung, der Entspannung. Und jedesmal, wenn du wirklich entspannt bist, wirst du auf einmal ein bläuliches Leuchten in deinem Inneren fühlen. Und umgekehrt – wenn du ein bläuliches Leuchten in dir verspüren kannst, wirst du dich sofort entspannt fühlen. Es wirkt in beide Richtungen.

Schau in deine Kopfschmerzen hinein

Wenn du wieder einmal Kopfschmerzen hast, versuche es mit einer kleinen meditativen Technik. Mache ein Experiment – dann kannst du dies auch bei größeren Krankheiten und stärkeren Symptomen anwenden.

Wenn du Kopfschmerzen hast, mache ein kleines Experiment. Setze dich ganz ruhig hin und beobachte den Schmerz. Schaue in ihn hinein – nicht so, als ob du einen

Feind anschauen würdest, nein. Wenn du ihn anschaust, als wäre er dein Feind, kannst du ihm nicht wirklich ins Auge sehen. Dann weichst du ihm aus – niemand schaut einen Feind direkt an; man vermeidet seinen Anblick, man neigt dazu, ihm auszuweichen. Schaue ihn als einen Freund an. Er ist dein Freund; er erweist dir einen Dienst. Er sagt dir: „Etwas stimmt nicht – schaue es dir an." Sitze ganz still und schau in den Kopfschmerz hinein, ohne den Gedanken, er möge aufhören, ohne den Wunsch, er möge verschwinden; kein Konflikt, kein Kampf, kein Widerstand. Schaue in dich hinein, schau hin, was er ist. Beobachte, und wenn eine innere Botschaft da ist, kann der Kopfschmerz sie dir übermitteln. Er birgt eine verschlüsselte Botschaft. Und wenn du ihn mit Ruhe anschaust, wirst du überrascht sein. Wenn du ganz still hinschaust, geschieht dreierlei. Erstens: Je intensiver du ihn beobachtest, desto stärker wird der Schmerz. Das wird dich etwas verwirren: „Wie kann mir das helfen, wenn der Schmerz sogar noch größer wird?" Er wird deshalb größer, weil du ihm vorher ausgewichen bist; du hattest ihn unterdrückt – sogar ohne Aspirin warst du schon dabei, ihn zu unterdrücken. Wenn du in den Schmerz hineinschaust, fällt die Unterdrückung weg. Er wird seine natürliche Stärke erreichen. Dann hörst du ihn mit unverstopften Ohren, du hast keine Watte mehr in den Ohren. Also zuerst wird er heftiger. Wenn der Schmerz heftiger wird, kannst du zufrieden sein, denn dann schaust du ihn wirklich an. Wenn er nicht heftiger wird, dann schaust du noch nicht hin; du weichst ihm immer noch aus. Schau in ihn hinein – und er wird stärker. Das ist der erste Hinweis, daß du ihn wirklich anschaust.

Zweitens: Du kannst den Schmerz lokalisieren, er ist nicht mehr diffus. Zuerst dachtest du: „Mein ganzer Kopf schmerzt." Nun wirst du sehen, daß der Schmerz nicht über den ganzen Kopf verteilt ist, er ist nur an einer winzigen Stelle. Dies ist auch ein Hinweis dafür, daß du tiefer in den Schmerz hineinschaust. Das diffuse Gefühl ist ein Trick – es ist ein Mittel, ihm auszuweichen. Wenn der Schmerz ganz lokal ist, ist er stärker. Also schaffst du die Illusion, als würde der ganze Kopf schmerzen. Über den ganzen Kopf verteilt ist der Schmerz an keiner Stelle so intensiv. Dies sind die Tricks, die wir immer und immer wieder anwenden.

Schaue in den Schmerz hinein, und die zweite Stufe ist dann, daß er immer mehr zusammenschrumpft. Und dann kommt ein Augenblick, da ist er nicht größer als eine winzige Nadelspitze – sehr spitz, ungeheuer scharf, sehr schmerzhaft. Du hast noch nie einen solchen Schmerz in deinem Kopf erlebt. Aber ganz und gar auf einen einzigen Punkt konzentriert. Schaue weiter in den Schmerz hinein.

Und dann geschieht das dritte – und Wichtigste. Wenn du an diesem Punkt, wo der Schmerz sehr stark, sehr scharf umrissen und auf einen Punkt konzentriert ist, nicht zu beobachten aufhörst, dann wirst du immer von neuem die Erfahrung machen, daß er verschwindet.

Wenn du ihn dir wirklich richtig anschaust, dann verschwindet er. Und während er verschwindet, erhaschst du einen kurzen Einblick: Du siehst, woher er kommt, was seine Ursache ist. Wenn das Symptom verschwindet, siehst du den Auslöser. Und so wird es immer wieder sein. Der Schmerz kommt wieder. Du schaust nicht mehr so wach, so konzentriert, so aufmerksam hin – und schon kommt er zurück. Wenn du wirklich hineinschaust, verschwindet er; und wenn er verschwindet, zeigt sich die Ursache dahinter. Und du wirst überrascht sein: Dein Hirn ist bereit, dir die Ursache zu enthüllen.

Und es können tausenderlei Ursachen sein. Es ist jedesmal das gleiche Alarmzeichen, denn das Alarmsystem ist sehr simpel. Der Körper hat nicht viele verschiedene Alarmsysteme. Es gibt dasselbe Alarmzeichen für unterschiedliche Ursachen. Es mag sein, daß du in letzter Zeit oft wütend warst und deine Wut nicht ausgedrückt hast. Plötzlich, wie eine Offenbarung, steht sie vor dir.

Du siehst all den Ärger, den du die ganze Zeit über mit dir herumgeschleppt hast, immer und immerzu... er ist wie Eiter in dir. Jetzt ist es einfach zu viel, und dieser Ärger will heraus. Eine Katharsis ist fällig. Tobe dich aus! – und du wirst sehen, wie augenblicklich der Kopfschmerz verschwindet. Und ganz ohne Aspirin, ganz ohne Behandlung!

Zuhören

Du bist dein Erzfeind, du stehst dir selbst im Weg.
Meditation ist, wenn der Meditierer nicht ist!

Bleibe passiv – du tust nichts, du hörst nur zu. Und Zuhören ist kein Tun. Zum Hören brauchst du gar nichts zu tun – deine Ohren sind immer offen. Um zu sehen, mußt du etwas dazu tun. Um zu hören brauchst du nicht einmal so viel zu tun – die Ohren sind immer offen. Du hörst ständig. Tu gar nichts und höre zu.

Zuhören mit dem Gefühl der Sympathie

Hören ist ein intensives Zusammenspiel zwischen Körper und Seele, und dies Zusammenspiel wurde von jeher als eine der stärksten Methoden der Meditation verwendet, denn es ist die Brücke zwischen den beiden Unendlichkeiten: dem Reich der Materie und dem Reich des Spirituellen.

Mache dies zu deiner Meditation; es wird dir helfen. Wenn du irgendwo sitzt, höre dem zu, was gerade um dich herum geschieht. Zum Beispiel mitten in einer Stadt – es herrscht viel Lärm und Verkehr – dieser Zug, dieses Flugzeug; höre das alles, ohne es als Lärm abzulehnen. Höre zu, als würdest du Musik hören, mit Genuß. Und du wirst auf einmal feststellen, daß sich die Qualität des Lärms verändert. Er ist keine Ablenkung mehr, keine

Störung. Im Gegenteil, er wird sehr melodisch. Sogar der Lärm einer Stadt kann zur Melodie werden.

Was du hörst, ist also nicht wichtig. Es geht darum, daß du zuhörst, nicht einfach nur hörst.

Selbst wenn du etwas aufnimmst, das du bisher nicht des Zuhörens für wert gehalten hattest, so höre dem nun so heiter zu, als lauschtest du einer Beethoven-Sonate. Plötzlich stellst du fest, daß du damit seine ganze Qualität verändert hast. Es wird auf einmal schön. Und bei einem solchen Zuhören verschwindet das Ego.

Die Energiesäule

Eine gewisse Ruhe kommt über dich, wenn du ruhig dastehst. Probiere es in einer Ecke deines Zimmers. Stelle dich ganz ruhig in eine Ecke, tue nichts. Auf einmal bleibt auch deine Energie in dir stehen. Im Sitzen verursacht der Verstand viele Störungen, denn Sitzen ist die Haltung des Denkers; wenn du stehst, fließt die Energie wie in einer Säule und verteilt sich gleichmäßig über den ganzen Körper. Stehen ist etwas sehr Schönes.

Probiere es aus, denn viele von euch werden das Stehen als etwas sehr Schönes empfinden. Eine Stunde lang zu stehen, das ist einfach wunderbar. Wenn du einfach nur dastehst, nichts tust, dich nicht bewegst, wirst du feststellen, daß sich etwas in dir legt und ruhiger wird; dein inneres Gleichgewicht stellt sich ein und du fühlst dich wie eine Säule von Energie. Der Körper verschwindet.

Fühle die Stille des Mutterleibs

Meditation ist dein Geburtsrecht! Sie ist da und wartet nur darauf, daß du dich ein bißchen entspannst, damit sie ein Lied singen, damit sie zum Tanz werden kann.

Laß Stille zu deiner Meditation werden. Wann immer du Zeit hast, laß dich in die Stille hineinfallen – und ich meine genau das: laß dich fallen – wie ein kleines Kind in den Schoß der Mutter. Sitze genau in dieser Stellung, und du wirst nach und nach das Gefühl bekommen, daß du deinen Kopf auf den Boden legen möchtest. Folge diesem Gefühl und lege deinen Kopf auf den Boden. Rolle dich wie das Kind im Mutterleib zusammen, und du wirst sofort die Stille fühlen, dieselbe Stille, die im Mutterleib war. Wenn du auf deinem Bett sitzt, krieche unter eine Decke, kauere dich zusammen und bleibe ganz still, tue nichts.

Von Zeit zu Zeit werden ein paar Gedanken aufkommen. Laß sie vorbeiziehen – bleibe gleichgültig, kümmere dich nicht um sie: Wenn Gedanken kommen, gut; wenn nicht, gut. Kämpfe nicht, schiebe sie nicht weg. Wenn du kämpfst, störst du; wenn du sie wegschiebst, kommst du nicht mehr davon los, wenn du sie nicht willst, werden sie störrisch dableiben. Bleibe einfach unbeteiligt, lasse sie draußen an der Peripherie; als wären sie wie Verkehrslärm. Und sie sind wirklich Verkehrslärm – der

Gehirn-Verkehr von Millionen Zellen, die miteinander kommunizieren – Energie bewegt sich, und Elektrizität springt herum, von einer Zelle zur anderen. Es ist eben das Summen einer Riesenmaschine; laß sie einfach brummen.

Du ignorierst diese Maschine, sie geht dich nichts an, sie ist nicht dein Problem – vielleicht das Problem eines andern, aber nicht deins. Was hast du damit zu tun? Und du wirst überrascht sein – es werden Augenblicke kommen, wo der Lärm verschwindet, völlig verschwindet, und du hast deine Ruhe...

Quäle dich nicht

Sei nie ein Masochist. Quäle dich nicht selbst, für welchen Namen auch immer. Die Menschen haben sich so sehr im Namen der Religion gequält, und dieser Vorwand ist so edel, daß du dich unter diesem Vorwand ewig so weiter quälen kannst.

Also vergiß nie – ich lehre Freude, nicht Qual! Wenn du manchmal spürst, daß eine Methode hart für dich wird, daß es schwer geht, mußt du eine andere versuchen. Du wirst oft wechseln müssen. Nach und nach erreichst du einen Punkt, wo kein Wechsel mehr nötig ist. Dann hast du etwas gefunden, das zu dir paßt – nicht nur zu deinem Geist und Körper, sondern auch zu deiner Seele.

Am Abend
Schütteln, Tanzen, Singen

Meditieren heißt, bei dir selbst zu sein;
und Mitgefühl ist das Überfließen dieses Bei-dir-selber-Seins.

Schütteln

Osho Kundalini Meditation

Dies ist die beliebte Sonnenuntergangs-Meditation, die Schwester der Dynamischen Meditation, die beim Sonnenaufgang gemacht wird. Sie besteht aus vier Phasen von je 15 Minuten.

Erste Phase: 15 Minuten
Sei locker und lasse deinen ganzen Körper sich schütteln. Du spürst, wie die Energie von den Füßen nach oben geht. Lasse überall los und werde zum Schütteln. Deine Augen können offen oder geschlossen sein.

Zweite Phase: 15 Minuten
Tanze... so wie du dich gerade fühlst, und laß den ganzen Körper sich bewegen, wie er will.

Dritte Phase: 15 Minuten
Schließe die Augen und sei still, entweder im Sitzen oder im Stehen; beobachte, was innen und was außen geschieht.

Vierte Phase: 15 Minuten
Die Augen bleiben geschlossen, du legst dich hin und bist still.

Mache meine Meditationen, aber mache sie nicht mit Vorsätzen. Erzwinge nichts, sondern laß sie geschehen. Fließe in ihnen, gehe ganz in ihnen auf, versenke dich in sie, aber ohne Absichten. Manipuliere nichts, denn wenn du manipulierst, bist du gespalten, du wirst zwei: der Manipulierende und der Manipulierte. Wenn du erst einmal zwei bist, entstehen sofort Himmel und Hölle. Dann entsteht eine tiefe Kluft zwischen dir und der Wahrheit. Manipuliere nichts. Laß alles geschehen.

Wenn du die Kundalini Meditation machst, dann lasse das Schütteln geschehen, tue es nicht. Stehe still da, fühle wie es kommt, und wenn dein Körper anfängt, leise zu zittern, dann hilf nach, aber schüttle dich nicht. Genieße es, freue dich darüber, lasse es geschehen, nimm es auf, heiße es willkommen, aber erzwinge es nicht.

Wenn du es erzwingst, wird es zu einer Übung, zur Körperertüchtigung. Dann wird das Schütteln zwar da sein, aber nur an der Oberfläche, es durchdringt dich nicht. Im Inneren bleibst du dabei hart wie ein Stein, wie ein Felsbrocken; du bleibst der Macher, und der Körper gehorcht dir. Es kommt nicht auf deinen Körper an, auf dich kommt es an.

Wenn ich sage, schüttle dich, so meine ich, schüttle deine Härte. Dein Wesen, das einem Felsbrocken gleicht, muß bis in die Grundfesten erschüttert werden, damit es flüssig wird, fließend, damit es verschmilzt und strömt. Und wenn dein erstarrtes Wesen fließend wird, geht dein

Körper mit. Dann gibt es keinen Auslöser mehr, nur noch das Schütteln. Niemand tut es, es geschieht einfach. Der Macher ist nicht da.

Die Dynamische Meditation oder die Kundalini oder die Nadabrahma, all dies sind nicht wirklich Meditationen. Sie stimmen dich lediglich ein. Es ist wie... hast du schon einmal indische Musiker gesehen, die klassische indische Musik spielen? Eine halbe Stunde lang, manchmal sogar länger, stimmen sie ihre Instrumente. Sie drehen an den Knöpfen ihrer Instrumente, sie lockern die Saiten oder ziehen sie nach, der Trommler testet immer wieder seine Trommel – egal, ob sie schon perfekt gestimmt ist oder nicht. Eine halbe Stunde lang machen sie das so.

Das ist keine Musik, das ist lediglich die Einstimmung. Kundalini ist nicht wirklich eine Meditation. Sie ist nur Einstimmung. Du stimmst dein Instrument. Wenn es bereit ist, dann kannst du still dastehen, dann beginnt die Meditation. Dann bist du ganz da. Du hast dich selbst aufgeweckt durch Hüpfen, Tanzen, Atmen, Schreien – alles nur Mittel, um dich ein bißchen wacher zu machen, als du es normalerweise bist. Wenn du einmal wach bist, dann kannst du warten.

Warten ist Meditation. Warten mit voller Bewußtheit. Dann kommt es, es sinkt auf dich herab, es umgibt dich, es umspielt dich, es tanzt um dich herum, es reinigt dich, klärt dich, es transformiert dich.

Wiegemeditation

Erste Phase: 20 Minuten
Sitze mit überkreuzten Beinen und geschlossenen Augen. Fange an, dich ganz sanft hin- und herzuwiegen, erst nach links, dann nach rechts. Das Wiegen braucht nicht den ganzen Körper einzubeziehen, wiege dich aber so weit auf die eine Seite wie möglich, ohne daß es unbequem wird. Wenn du zum äußersten Punkt der einen Seite gelangt bist, stoße den Ton „Huh" aus – kräftig, mit einem Ruck. Tu dies jedesmal, wenn du am äußersten Punkt auf einer Seite angelangt bist.

Zweite Phase: 20 Minuten
Sitze still da, bewegungslos.

Dritte Phase: 20 Minuten
Stehe in einer Ecke, absolut ruhig.

Tanzen

Meditation hat nichts mit Ernsthaftigkeit zu tun.
Meditation ist Verspieltheit.
Deshalb ist mir hier das Tanzen und Singen so wichtig.

Wenn Bewegung ekstatisch wird, dann ist es Tanz. Wenn die Bewegung so total ist, daß kein Ego mehr da ist, dann ist es Tanz.

Und ihr solltet wissen: ursprünglich war Tanz eine Technik der Meditation. Das ursprüngliche Tanzen war kein Tanz im heutigen Sinn, sondern diente dazu, dich in einen ekstatischen Zustand zu versetzen – der Tanzende verschwand, nur das Tanzen war da. Kein Ego, kein Macher, der Körper im Fließen – spontan.

Du brauchst keine andere Meditation. Wenn der Tänzer verschwunden ist, wird Tanzen zur Meditation. Es geht einzig darum, sich selbst zu verlieren. Wie du das machst, und wo, ist unwichtig. Es kommt allein darauf an, daß du dich verlierst. Es kommt ein Punkt, an dem du nicht mehr bist, und trotzdem geht alles weiter... so, als ob dich etwas treiben würde. Tanzen gehört zum Schönsten, was einem Menschen passieren kann. Und Meditation ist nicht getrennt davon. Meditation als etwas Besonderes ist nur für Leute nötig, die keine aus der Tiefe kommende kreative Energie in sich haben, die ihre Energie nicht so tief in etwas einbringen können, daß sie sich darin verlieren.

Tänzer, Maler oder Bildhauer zum Beispiel brauchen keine andere Meditation als ihre Kunst. Sie brauchen sich nur so tief in ihre Kunst zu versenken, bis sie an den Punkt kommen, wo sich Transzendenz ereignet. Und es gibt nichts, was mit Tanzen vergleichbar wäre...

Vergiß also für mindestens eine Stunde am Tag jegliche Technik. Tanze einfach für Gott. Sei nicht technisch – er urteilt nicht. Tanze wie ein kleines Kind... dein Tanz ist ein Gebet. So gewinnt das Tanzen eine vollkommen andere Qualität. Du wirst das erste Mal das Gefühl haben, daß du Schritte machst, die du noch nie zuvor gemacht hast, daß du dich in Dimensionen bewegst, die du noch nie gekannt hast. Du wirst durch unvertraute, unbekannte Gefilde streifen...

Allmählich, wenn du mit dem Unbekannten mehr und mehr in Einklang kommst, werden alle deine Techniken verschwinden. Und wenn das Tanzen ohne irgendeine Technik ist, unverdorben und einfach, dann ist es perfekt. Tanze, als seist du tief ins Universum verliebt, so als würdest du mit deinem Geliebten tanzen. Erlaube Gott, dein Geliebter zu sein.

Tanzt zusammen

Ihr könnt eine kleine Gruppe von Freunden bilden und zusammen tanzen. Das ist besser, einfacher. Der Mensch ist so schwach, daß es ihm schwerfällt, irgendetwas ganz allein regelmäßig zu tun. Deshalb sind auch Mysterienschulen nötig. Wenn du dich an einem Tag vielleicht nicht so danach fühlst, und die anderen haben Lust, dann bringen sie dich mit ihrer Energie in Bewegung. An einem anderen Tag ist ein anderer nicht so gut drauf, dann steckst du ihn mit deiner Energie an.

Ganz auf sich gestellt, ist der Mensch sehr schwach und willenlos. Heute tust du etwas, und morgen hast du keine Lust dazu, hast andere Dinge zu tun. Aber Meditationen bringen nur dann etwas, wenn sie regelmäßig gemacht werden. Dann kann etwas in dich eindringen.

Es ist so, als wenn du ein Loch in die Erde gräbst. An einem Tag gräbst du an dieser Stelle, am anderen Tag an einer anderen. Auf diese Art kannst du dein ganzes Leben lang graben, aber du gräbst keinen Brunnen. Du mußt ständig an der gleichen Stelle graben.

Achte so darauf, daß du es jeden Tag zur gleichen Zeit machst. Und wenn du es auch noch am gleichen Ort machen kannst, umso besser; im gleichen Raum, in der gleichen Atmosphäre: zünde immer die gleichen Räucherstäbchen an... auf diese Weise lernt der Körper allmählich, und auch der Geist stimmt sich langsam immer mehr ein. Kaum betrittst du den Raum, und schon willst du tanzen. Der Raum ist geladen, die Zeit ist geladen.

Tanze wie ein Baum
Hebe deine Arme hoch und fühle dich wie ein Baum in einem heftigen Wind. Tanze wie ein Baum, der in Regen und Wind steht. Lasse deine ganze Energie zu einer tanzenden Energie werden, wiege dich und bewege dich im

Wind, fühle, wie der Wind durch dich hindurchweht. Vergiß, daß du einen menschlichen Körper hast – du bist ein Baum, identifiziere dich mit dem Baum.

Gehe, wenn möglich, ins Freie, stelle dich unter Bäume, werde selbst zum Baum und lasse den Wind durch dich wehen. Es ist ungeheuer kräftigend und erfüllend, sich wie ein Baum zu fühlen. Man kommt dadurch ganz leicht in den Urzustand des Bewußtseins. Bäume gibt es immer; rede mit den Bäumen, umarme sie, und du wirst auf einmal fühlen, daß alles wieder da ist. Und wenn es für dich nicht möglich ist, ins Freie zu gehen, dann stelle dich in die Mitte deines Zimmers, stelle dir vor, ein Baum zu sein, und beginne zu tanzen.

Tanze mit den Händen

Sitze ganz still und erlaube deinen Fingern, sich auf ihre Weise zu bewegen. Fühle die Bewegung im Innern. Versuche nicht, die Bewegung von außen her zu sehen, am besten schließt du die Augen. Lasse die Energie immer mehr in die Hände fließen.

Zwischen den Händen und dem Gehirn besteht eine tiefe Verbindung; die rechte Hand ist mit der linken Gehirnhälfte verbunden, die linke Hand ist mit der rechten Gehirnhälfte verbunden. Wenn sich deine Finger völlig frei bewegen und ausdrücken können, dann werden sehr viele Spannungen aufgelöst, die sich im Gehirn aufgestaut haben. Dies ist die einfachste Art, den Gehirnmechanismus zu lockern, und um Unterdrücktes und ungenutzte

Energie freizusetzen. Deine Hände sind wie geschaffen dafür.

Manchmal hebt sich deine linke Hand, und dann wieder die rechte. Versuche nicht, ein Muster zu schaffen, die Energie nimmt ganz von selbst genau die Form an, die sie gerade braucht. Wenn die linke Seite des Gehirns Energie freigeben will, nimmt die Energie eine entsprechende Form an. Wenn die rechte Gehirnhälfte zu viel Energie hat, formt sich wieder eine andere Bewegung.

Durch Handbewegungen kannst du ein großer Meditierer werden. Sitze also ganz ruhig da, spiele, lasse den Händen freies Spiel, und du wirst erstaunt sein; es ist Magie. Du brauchst gar nicht herumzuhüpfen und zu rennen und chaotische Meditationen zu machen. Deine Hände machen das schon.

Erwecke die feinen Schichten in dir zum Leben

Wenn du aber deinen Körper ständig nur in Bewegung hältst und dich nie ganz still hinsetzt, dann entgeht dir auch etwas. Wenn deine Energie in Gang gekommen ist, solltest du absolut still werden, sonst kann sie sich nicht verfeinern. Körperbewegung ist gut, aber es ist eine grobe, eine oberflächliche Bewegung, und wenn die ganze Energie nur in diese grobe Bewegung geht, kann die subtile, die feinstoffliche Bewegung nicht in Fluß kommen.

Erreiche den Punkt, wo der Körper völlig ruhig wird, wie eine Statue – keine grobe Bewegung mehr; die Energie ist da, bereit, sich irgendwohin zu bewegen – aber der Körper gibt ihr keine Chance. So sucht sie sich einen anderen Weg im Inneren, der nichts mit dem Körper zu tun hat. Allmählich fließt sie in deine feineren Schichten hinein.

Aber zunächst einmal ist Bewegung notwendig. Wenn die Energie nicht fließt, kannst du dasitzen wie ein Stein, und es wird nichts geschehen. Zuerst muß man also die Energie in Fluß bringen, und dann, wenn sie sich wirklich bewegt, muß man den Körper zum Stillstand bringen. Wenn die Energie stark genug pulsiert und irgendwohin fließen will, dann muß sie in die subtilen Schichten fließen, da die grobe äußere Bewegung nicht mehr vorhanden ist.

Sei also zuerst ganz dynamisch und halte dann den Körper still, damit die dynamische Kraft tiefer in dich eindringen kann, bis zu den tiefsten Wurzelspitzen, bis tief in deinen innersten Wesenskern. Stelle in dir eine Synthese her: Bewege zwanzig Minuten lang deinen Körper und dann halte ganz plötzlich ein. Du kannst dir einen Wecker stellen, und wenn er klingelt, dann bleibe auf der Stelle stehen. Der Körper ist jetzt voller Energie, aber wenn er dann plötzlich in einer Stellung erstarrt, sucht sich die Energie neue Bahnen, in denen sie fließen kann. Das ist die Methode, in dein Inneres vorzudringen.

Whirling Meditation

Musik schafft eine solche Harmonie, daß sogar Gott dir zunickt und ja zu dir sagt. Musik ist göttlich... plötzlich berührt dich der Himmel; du wirst vom Jenseits überwältigt. Und wenn dir das Jenseits näherrückt, wenn du die Schritte des Jenseits vernimmst, dann nimmt etwas in dir die Herausforderung an, wird schweigsam, stiller, ruhiger, unberührt, gesammelt.

Das von den Sufis überlieferte „Whirling" (Wirbeln) ist eine der ältesten Techniken, und auch eine der stärksten. Sie geht so tief, daß dich schon eine einzige Erfahrung mit dieser Meditation total verändern kann. Wirbele mit offenen Augen herum, so wie kleine Kinder im Kreis herumwirbeln; so, als ob dein Innerstes zum Mittelpunkt wird und dein Körper ein Rad ist, das sich um diese Nabe bewegt, wie eine Töpferscheibe. Du bist der ruhende Mittelpunkt, aber dein ganzer Körper ist in Bewegung.

Schon drei Stunden vor der Whirling-Meditation solltest du nichts mehr essen oder trinken. Am besten machst du sie barfuß und in lockerer Kleidung. Die Meditation hat zwei Phasen, Wirbeln und Ruhen. Für das Wirbeln gibt es keine festgelegte Dauer – man kann es stundenlang machen. Ich empfehle dir aber, mindestens eine Stunde lang zu wirbeln, bis du dich wie in einem Energiestrudel fühlst.

Du wirbelst auf der Stelle, gegen den Uhrzeigersinn; der rechte Arm ist erhoben, mit der Handfläche nach oben, und der linke Arm hängt nach unten, mit der Handfläche nach unten. Jemand, bei dem das Wirbeln gegen den Uhrzeigersinn Unwohlsein hervorruft, kann zum Uhrzeigersinn überwechseln. Mache deinen Körper ganz weich und wirbele mit offenen Augen, halte aber deinen Blick an nichts fest, so daß die Bilder verschwommen und fließend werden. Bleibe ganz ruhig.

Drehe dich in den ersten fünfzehn Minuten ganz langsam. Dann werde während der nächsten dreißig Minuten immer schneller, bis das Wirbeln von selbst geht und du zu einem Strudel von Energie wirst – an der Peripherie ein Sturm von Bewegungen, aber der Beobachter im Mittelpunkt ist ruhig und still.
Du wirbelst immer schneller, bis du so schwindlig wirst, daß du ganz von selbst umfällst. Du beschließt nicht zu fallen, du versuchst auch nicht, die Landung auf dem Boden vorzubereiten; wenn dein Körper locker ist, wirst du weich landen, und die Erde wird deine Energie aufnehmen.

Wenn du umgefallen bist, beginnt der zweite Teil der Meditation. Rolle dich sofort nach dem Fall in die Bauchlage, und zwar so, daß der nackte Bauchnabel mit dem Boden in Berührung kommt. Wer diese Lage als sehr unangenehm empfindet, sollte sich auf den Rücken legen. Fühle, wie dein Körper mit der Erde verschmilzt, so wie bei einem kleinen Kind, das sich an die Brust der Mutter schmiegt. Schließe die Augen und sei mindestens 15 Minuten lang passiv und still.

Am Abend

Bleibe nach dieser Meditation so ruhig und inaktiv wie möglich. Es kann vorkommen, daß es dem einen oder anderen beim Whirling übel wird, aber diese Übelkeit sollte normalerweise nach zwei oder drei Tagen verschwinden. Wenn sie nicht verschwindet, höre mit dieser Meditation auf.

Singen

Singen ist etwas Göttliches. Wie das Tanzen ist es eine der göttlichsten Handlungen, die es gibt. Warum? – weil du dich darin ganz und gar verlieren kannst. Du kannst dich so sehr ins Singen versenken, daß der Sänger verschwindet und nur noch der Gesang da ist; und beim Tanzen kann der Tänzer verschwinden und nur der Tanz bleibt. Und das ist der Augenblick der Metamorphose, der Umwandlung – wenn der Sänger nicht mehr da ist, und nur noch der Gesang ist. Wenn du in deiner Gesamtheit zum Lied oder zum Tanz wirst, das ist Gebet.

Welches Lied du singst, ist dabei völlig unwichtig; es mag nicht religiös sein, aber wenn du es aus deinem Wesen heraus singst, ist es heilig. Und umgekehrt: Du kannst ein religiöses Lied singen, das durch jahrhundertelangen Gebrauch geheiligt ist, aber wenn du es nicht aus vollem Herzen singst, bleibt es profan. Der Inhalt des Liedes ist nicht ausschlaggebend, nur die Qualität, die du dem Gesang gibst, die Totalität, die Intensität, das Feuer, mit dem du singst.

Ahme nicht den Gesang eines anderen nach, denn dann kommt er nicht aus deinem Herzen: So kannst du dein Herz nicht zu Füßen des Göttlichen ausschütten. Singe dein eigenes Lied von innen heraus, vergiß Versmaß und Grammatik. Gott ist kein besonders anspruchsvoller Grammatiker, deine Worte kümmern ihn nicht. Er ist an deinem Herzen interessiert.

Mantra

Es ist eine der größten Erfahrungen im Leben, wenn dich Musik einhüllt, überwältigt, überflutet und Meditation wächst.
Wenn Meditation und Musik sich begegnen, begegnen sich Welt und Gott, Materie und Bewußtsein – das ist unio mystica – die mystische Vereinigung.

Wenn du ein musikalisches Ohr hast, wenn du ein Herz hast, das Musik versteht – nicht nur versteht, sondern auch fühlt – dann kann ein Mantra dir sehr viel geben, denn du kannst eins werden mit den Tönen in deinem Inneren. Du kannst mit diesen Tönen tiefer und tiefer gehen bis zu den feinsten Schichten deines Wesens. Und dann kommt der Augenblick, da alle Töne verstummen und nur noch der Urton des Universums bleibt – AUM.

AUM

Gewöhne dir an, jeden Tag zweimal, am Morgen und am Abend, je zwanzig Minuten lang still dazusitzen, die Augen halb geschlossen, den Blick nach unten gerichtet. Der Atem sollte langsam gehen, der Körper unbewegt bleiben. Summe innerlich das Mantra AUM. Du brauchst es nicht herauszusingen; es kann dich tiefer durchdringen, wenn du die Lippen geschlossen hältst; nicht einmal die Zunge sollte sich bewegen. Summe ganz schnell AUM AUM AUM AUM; schnell und laut, aber innerlich.

Fühle, wie es überall in deinem ganzen Körper vibriert, von den Füßen bis hinauf zum Kopf, vom Kopf bis hinunter zu den Füßen. Jedes AUM fällt in dein Bewußtsein wie ein Stein in einen Teich, kleine Wellen entstehen und kräuseln sich, bis hin zum Ufer. Die feinen Schwingungen breiten sich immer weiter aus und erfassen den ganzen Körper.

Du wirst Augenblicke erleben – und das sind die allerschönsten – in denen du das Mantra nicht mehr wiederholst und alles zur Ruhe kommt. Plötzlich wird dir bewußt, daß du gar nicht mehr summst und alles stillsteht. Genieße es. Wenn Gedanken aufkommen, fange wieder an zu summen.

Wenn du die Meditation abends machst, fange mindestens zwei Stunden vor dem Schlafengehen an, denn sonst kannst du später nicht einschlafen; die Meditation macht dich so frisch, so munter. Es wird dir so vorkommen, als wenn gerade der frühe Morgen dämmert, und du bist so schön ausgeruht... wozu also schlafengehen?

Finde dein eigenes Tempo heraus. Nach zwei oder drei Tagen weißt du dann, was dir am besten entspricht. Manche Leute mögen es ganz schnell – aumaumaum – so daß es fast ineinander übergeht. Andere finden ein langsames Tempo besser; es kommt also ganz auf dich an. Was auch immer für dich am besten ist, mache damit weiter.

Der Name „Jesus"

Wenn Jesus' Name etwas in dir anspricht, dann setze dich

still hin und lasse dich von diesem Namen berühren. Sage ab und zu ganz leise „Jesus", und dann warte. Dies wird zu deinem Mantra. Auf diese Art wird ein echtes Mantra geboren. Niemand kann dir ein Mantra geben; du mußt es selbst finden, du mußt wissen, was dich anzieht, was dich rührt, was eine starke Wirkung auf deine Seele hat. Wenn es „Jesus" ist, wunderbar. Von Zeit zu Zeit, wenn du still dasitzt, wiederhole nur „Jesus" und warte und lasse den Namen tief in dich eindringen, ganz tief bis in die letzten Winkel deines Wesens – bis in deinen innersten Wesenskern. Und laß all das geschehen, was geschehen will! Wenn du anfängst zu lachen, gut; wenn du anfängst zu weinen, gut; wenn du anfängst zu tanzen, gut. Was auch immer daraus entsteht, lasse es zu. Laß es geschehen, greife nicht ein, manipuliere nichts. Gehe mit dem, was geschieht, und du wirst die ersten Schimmer von Gebet und Meditation haben, und deine erste Ahnung von Gott. Die ersten Strahlen werden in die dunkle Nacht deiner Seele dringen.

Jeder Laut, der ästhetisch und schön klingt, jeder Laut, der dein Herz höher schlagen läßt und dir Freude bringt, ist für diese Meditation gut. Er mag keiner Sprache angehören, darauf kommt es überhaupt nicht an – du kannst einfach reine Laute finden, die sogar viel tiefer dringen können. Denn wenn du ein bestimmtes Wort wählst, hat es auch eine bestimmte Bedeutung – und jede Bedeutung schafft Grenzen. Wenn du einen reinen Laut wählst, dann gibt es keine Einschränkung, keine Begrenzung.

Summen

Meditation ist totale Sensibilität.

Summen kann dir unheimlich viel bringen, und du kannst jederzeit summen... Mindestens aber einmal am Tag; zweimal wäre noch besser. Es ist eine so große innere Musik, daß es deinem ganzen Wesen Frieden bringt; es bringt die widerstreitenden Seiten in dir zum Einklang, und nach und nach kommt eine zarte Musik in deinem Körper auf, die du sogar hören kannst. Nach drei oder vier Monaten brauchst du dich nur still hinzusetzen, und du kannst eine zarte Musik hören, eine Harmonie in dir, eine Art Summen. Alles läuft so perfekt, wie ein perfekt funktionierendes Auto, dessen Motor brummt.

Ein guter Autofahrer weiß, wann etwas nicht in Ordnung ist. Die Mitfahrer merken es vielleicht gar nicht, aber ein guter Fahrer merkt sofort, wenn sich das Geräusch verändert. Der Brummton ist auf einmal nicht mehr harmonisch. Ein Störgeräusch ist aufgekommen. Nur einer, der das Autofahren liebt, hört sofort, wenn etwas mit seinem Wagen nicht in Ordnung ist. Der Motor funktioniert nicht so, wie er sollte.

Ein erfahrener Summer kriegt allmählich ein Gefühl dafür: Er merkt sofort, wenn etwas in ihm nicht stimmt. Wenn du zum Beispiel zu viel gegessen hast, merkst du gleich, daß die innere Harmonie fehlt, und es liegt an dir:

Willst du zu viel essen oder die innere Harmonie verspüren? Und die innere Harmonie ist so kostbar, so göttlich, gibt so viel Glückseligkeit, wer will da noch zu viel essen?

Und du brauchst gar nicht anfangen zu hungern, der Körper nimmt sich schon bald genau das, was er braucht. Dann geht die Summ-Meditation noch tiefer, und dann fühlst du genau, was der Meditation bekommt und was nicht; etwas Schwerverdauliches belastet den Körper und das Summen ist gestört.

Wenn du einmal mit dem Summen vertraut bist, bekommst du ein Gefühl dafür, wann Sexualität in dir aufkommt und wann nicht; und wenn bei einem Paar beide Partner die Summ-Meditation machen, werdet ihr überrascht sein, welch eine große Harmonie zwischen zwei Menschen entstehen kann und wie einfühlsam sie mit der Zeit füreinander werden, wie sie ein Gefühl dafür bekommen, wann der andere sich traurig fühlt. Sie brauchen sich nichts zu sagen; wenn der Mann müde ist, so weiß seine Frau es sofort instinktiv, denn sie funktionieren beide auf einer Wellenlänge.

Osho Nadabrahma Meditation

Nadabrahma ist eine alte tibetische Technik, die ursprünglich in den frühen Morgenstunden gemacht wurde. Sie kann zu jeder Tageszeit gemacht werden, allein oder zusammen mit anderen; mache sie aber mit nüchternem Magen und bleibe danach mindestens 15 Minuten lang untätig. Die Meditation dauert eine Stunde und hat drei Phasen.

Erste Phase: 30 Minuten
Sitze in entspannter Haltung mit geschlossenen Augen und geschlossenem Mund. Fange an zu summen, und zwar gerade laut genug, daß es andere noch hören können, und laß die Vibration sich über den ganzen Körper ausbreiten. Du kannst dir eine Röhre oder ein leeres Gefäß vorstellen, nur von den Vibrationen des Summens erfüllt. Es wird ein Moment kommen, von dem an das Summen von selbst geschieht und du zum Zuhörer wirst. Es gibt hier keine spezielle Atemtechnik, und du kannst deine Tonlage verändern und dich dabei auch ganz leicht und langsam in den Hüften wiegen, wenn du dich danach fühlst.

Zweite Phase: 15 Minuten
Die zweite Phase ist in zwei Teile von je 7 ½ Minuten aufgeteilt. Bewege in der ersten Hälfte deine Hände mit den Handflächen nach oben, in einer vom Körper weggehenden kreisförmigen Bewegung. Vom Nabel aus gehen beide Hände nach vorne und trennen sich dann zu zwei spiegelgleichen, großen Kreisen nach rechts und nach links. Die Bewegung sollte so langsam sein, daß

es dir zeitweise so vorkommt, als seien die Arme gar nicht in Bewegung. Fühle, daß du Energie nach außen an das Universum abgibst.

Nach 7 ½ Minuten drehe die Hände um, die Handflächen sind jetzt nach unten gerichtet, und bewege sie in die entgegengesetzte Richtung. Die Hände treffen einander jetzt in der Nabelgegend und gehen dann zu beiden Seiten des Körpers auseinander. Fühle, daß du Energie hereinholst. Wie in der ersten Phase auch, kannst du leichte Körperbewegungen zulassen.

Dritte Phase: 15 Minuten
Sitze oder liege absolut ruhig und still.

Osho Nadabrahma Meditation für Paare

Osho hat uns eine wunderschöne Variante dieser Technik für Partner gegeben.

Die Partner sitzen einander gegenüber, mit einem Bettuch zugedeckt, und halten sich über Kreuz an den Händen. Es ist am besten, dabei keine Kleidung zu tragen. Die Beleuchtung im Raum sollte nur aus vier kleinen Kerzen bestehen; zündet ganz bestimmte Räucherstäbchen an, die ihr nur für diese Meditation verwendet.

Schließt die Augen und summt 30 Minuten lang zusammen. Nach einer kurzen Zeit werdet ihr fühlen, wie eure Energien sich treffen, ineinander verschmelzen und sich vereinigen.

AM ABEND

Osho, was tun, wenn Mücken kommen?

Meditation ist nichts als Heimkehr, eine kleine Rast im Innern.
Sie ist kein Singen von Mantras, sie ist nicht mal Gebet;
du kommst einfach nach Hause zurück und ruhst dich ein bißchen
aus. Nirgendwohin zu gehen, das ist Meditation; einfach zu sein,
wo du bist; es gibt kein „anderswo" – du bist, wo du bist, füllst
einfach den Raum, in dem du bist...

Mücken sind ehemalige Meditierer, die zurückgefallen sind. Deshalb sabotieren sie jeden, der meditiert. Sie sind äußerst neidisch. Sie kommen, wenn du meditierst, um dich zu stören und abzulenken.

Und das ist nichts Neues; das war schon immer so. Es wird in allen althergebrachten Schriften erwähnt! Und zwar ganz besonders in Jain-Schriften, denn der Jain-Mönch lebt nackt. Stellt euch nur einmal vor – ein Jain-Mönch, und dann Indien, und dann Mücken! Mahavir mußte ganz besondere Anweisungen geben, welche Haltung man den Mücken gegenüber einnehmen soll. Er sagte seinen Schülern: Wenn die Mücken angreifen, akzeptiert es. Dies ist die Ablenkung schlechthin. Wenn du diese Schlacht gewinnst, dann bist du allen Schwierigkeiten gewachsen. Und er weiß, wovon er spricht! In Indien nackt zu leben – das will was heißen.

Ich war einmal in Sarnath, an dem Ort, wo Buddha das Rad des Dhamma in Gang setzte, wo Buddha seine erste

Rede hielt, die wichtigste Rede überhaupt, die eine neue Religion einleitete. Ich war zu Besuch bei einem buddhistischen Mönch.

Ich habe schon viele Mücken erlebt, aber das war alles nichts, verglichen mit den Mücken von Sarnath. Die Poona-Mücken sind Waisenkinder dagegen! Seid glücklich und froh! Ihr habt Glück, daß ich nicht in Sarnath bin. Die Mücken dort waren wirklich so groß!

Sogar tagsüber saßen wir unter dem Moskitonetz. Auf dem einen Bett saß der buddhistische Mönch unter seinem Netz; auf dem anderen Bett saß ich unter meinem Netz – und so redeten wir miteinander.

Ich sagte: "Ich werde nie wieder hierher kommen", denn er hatte mich eingeladen wiederzukommen und dort zu bleiben. Ich sagte: "Nie und nimmer! Dies ist das erste und das letzte Mal."

Er sagte: "Das erinnert mich daran, daß wir buddhistischen Mönche schon seit Jahrhunderten darüber lachen und Witze machen, daß Buddha niemals wieder nach Sarnath gekommen ist. Er kam nur einmal; er hielt seine erste Rede und dann flüchtete er!"

Andere Orte hat er viele Male besucht. Er muß mindestens dreißig Mal in Shravasti gewesen sein; er muß mindestens vierzig Mal in Rajgir gewesen sein, und so weiter und so fort. An jeden Ort, den er einmal besuchte, kehrte er immer wieder zurück. Aber in Sarnath war er nur einmal. Dahin kam er nie wieder.

"Und", sagte der Mönch, "Schuld daran sind diese

Moskitos. Und du sagst auch, daß du nie wieder herkommen wirst!"

Ich sagte zu ihm: „Wenigstens in einem Punkt folge ich Buddha! In anderen Dingen kann ich ihm nicht folgen – ich muß mir selbst ein Licht sein! – aber in diesem Fall soll er das Licht sein!"

Ich weiß, es ist schwer, sehr schwer, aber ihr werdet es lernen müssen. Laßt euch nicht ablenken. Das heißt nicht, daß ihr den Mücken erlauben sollt, euch auszusaugen! Schützt euch auf jede erdenkliche Art gegen sie – aber ohne jeden Ärger, ohne Gereiztheit. Schützt euch gegen die Mücken, geht ihnen aus dem Weg, scheucht sie weg, schüttelt sie ab – aber ohne euch ablenken zu lassen. Sie machen ihr Ding, so viel muß man akzeptieren. Sie sind nicht speziell gegen dich. Da braucht jemand sein Frühstück oder Mittagessen oder Abendessen, also seid höflich! Ihr habt jedes Recht, euch gegen sie zu schützen, aber es ist nicht nötig, sich darüber aufzuregen. Wenn ihr gereizt seid, so stört das die Meditation, nicht etwa die Mücke. Du kannst die Mücke wegscheuchen, aber auf eine sehr meditative Art, aufmerksam, ganz wach, ohne Gereiztheit. Versucht es!

Das wirkliche Problem kommt niemals von außen; das wirkliche Problem kommt immer aus einer inneren Gereiztheit. Zum Beispiel bellen draußen Hunde, wenn du gerade meditierst. Du wirst sofort wütend: „Diese blöden Hunde!" Aber diese Hunde stören in keiner Weise deine Meditation, sie freuen sich nur am Leben! Sie haben wohl gerade einen Polizisten gesehen, oder einen Postboten, oder einen Sannyasin! Hunde hassen Uniformen, sie sind sehr anti-uniformistisch eingestellt. Sobald sie eine Uniform sehen, fangen sie an zu bellen. Sie glauben nicht an Uniformen, und es ist ihr gutes Recht, ihre ganz persönliche Auffassung zu haben. Aber sie haben es nicht ganz speziell auf dich abgesehen.

Die Mücken tun, was ihnen Spaß macht. Ihr müßt euch gegen sie schützen, ihr müßt tun, was euch Spaß macht, aber laßt euch nicht aus der Ruhe bringen. Gereiztheit ist das einzige Problem. Und dann, wenn ihr euch nicht reizen laßt, wenn ihr euch nicht stören laßt von dieser Plage um euch herum, werdet ihr ihnen sogar dankbar sein: Sie haben euch einen geheimen Schlüssel gegeben. Wenn ihr euch von den Mücken nicht stören laßt, gibt es nichts mehr, was euch stören kann. Dann habt ihr einen ganz unerschütterlichen Grad der Meditation erreicht.

In der Nacht
Phantasie, Gebet, Liebe

*Alle Meditation ist im Wesentlichen
die Erfahrung von Sex ohne Sex.*

Werde ein hohles Bambusrohr

Meditation ist ein Weg, sich mit seiner Einsamkeit anzufreunden, der eigenen Einsamkeit zu begegnen, nicht vor ihr zu flüchten, sondern tief in sie einzutauchen, zu sehen, was sie genau ist. Und dann wirst du überrascht sein, wenn du in deine Einsamkeit eintauchst: Genau im Mittelpunkt deiner Einsamkeit ist es überhaupt nicht einsam. Da wohnt das Alleinsein, und das ist eine vollkommen andere Sache.

Die Peripherie besteht aus Einsamkeit, der Mittelpunkt besteht aus Alleinsein. Und wenn du erst einmal die Schönheit deines Alleinseins kennengelernt hast, wirst du ein völlig anderer Mensch sein – du wirst dich nie wieder einsam fühlen. Nicht einmal in den Bergen oder in der Wüste, wo du absolut allein bist, wirst du dich einsam fühlen – denn in deinem Alleinsein wirst du wissen, daß Gott bei dir ist, in deinem Alleinsein bist du so tief in Gott verwurzelt, daß du dich gar nicht mehr darum kümmerst, ob es draußen noch jemanden gibt. Du bist innen so voll, innen so reich...

So wie du jetzt bist, bist du selbst in einer Menschenmenge einsam. Und ich sage dir, wenn du dein Alleinsein kennst, dann bist du nicht einmal in deiner Einsamkeit einsam.

Dann strömst du über wie ein Springbrunnen. Aus deinem Alleinsein steigt der Hauch der Liebe auf, und aus diesem Alleinsein steigt Kreativität – denn aus diesem

Alleinsein fließt das Göttliche. Du wirst zum hohlen Bambusrohr... Er fängt an zu singen. Und das Lied ist immer das Lied Gottes.

Meditiere ins Licht

*Überlasse dich nachts – ganz anders als morgens –
völlig dem Unbewußten; kümmere dich um gar nichts.
Die Nacht ist hereingebrochen, die Sonne ist untergegangen,
alles versinkt in Unbewußtheit. Auch du.*

Je mehr du ins Licht meditierst, desto mehr wirst du mit Erstaunen feststellen, daß sich etwas in dir öffnet wie eine Knospe, die sich zu einer Blume entfaltet.
Auf ein Licht zu meditieren ist eine der ältesten Meditationen, die es gibt. Sie wurde in allen Zeitaltern, in allen Ländern und von allen Religionen aus einem ganz besonderen Grund besonders geschätzt; etwas in dir, das bisher verschlossen war, blüht auf. Meditieren auf Licht schafft eine Situation, in der es sich öffnen kann.
Mache also dies zu deiner Meditation. Wann immer du Zeit hast, schließe die Augen; visualisiere Licht. Immer wenn du Licht siehst, stimme dich darauf ein. Übersehe von nun an kein Licht mehr. Es kann das Licht der untergehenden Sonne sein, es kann das Kerzenlicht in deinem Zimmer sein; sei voller Andacht dem Licht gegenüber, und du wirst sehr viel gewinnen.
Es ist ein unermeßlicher Segen, wenn du ständig mit dem Licht in Einklang bist.

Tratak – Die Technik des Starrens

Wenn du mehrere Monate lang jeden Tag für eine Stunde in eine Flamme schaust, öffnet sich dein drittes Auge vollkommen. Du wirst wacher, lichterfüllter.
Das Wort *tratak* kommt von einer Wortwurzel, die Tränen bedeutet; du mußt also so lange in die Flamme schauen, bis dir die Tränen kommen.
Starre weiter in die Flamme, ohne die Augenlider zu bewegen, und dein drittes Auge wird anfangen zu vibrieren. Es geht bei der Technik des Starrens nicht eigentlich um das Objekt, das Wesentliche ist das Starren selbst. Wenn du nämlich starrst, ohne deine Augenlider zu bewegen, konzentrierst du dich auf einen Brennpunkt, und der Verstand ist von Natur aus ständig in Bewegung. Wenn du wirklich starrst, ohne jegliche Bewegung, kommt der Verstand unweigerlich in Schwierigkeiten.
Das Denken wandert natürlicherweise von einem Objekt zum anderen, ist ständig in Bewegung. Wenn du in die Dunkelheit starrst – oder auf ein Licht, oder auf irgendetwas anderes – wenn du wirklich starrst, hört jede Bewegung im Verstand auf. Und wenn sich der Verstand noch regt, heißt das, daß du nicht starrst; du schaust am Objekt vorbei. Wenn der Verstand in eine andere Richtung geht, vergißt du alles, du weißt nicht einmal mehr, was du gerade angeschaut hast. Das Objekt ist zwar noch da, aber für dich ist es nicht mehr da, weil du nicht mehr bei der Sache bist; du bist mit den Gedanken weggegangen.

Starren, *tratak*, heißt, daß du deinem Bewußtsein nicht erlaubst, sich zu bewegen. Und wenn du keine Gedankenregung zuläßt, wird sich der Verstand zunächst wehren, hart kämpfen, aber wenn du immer weiter starrst, wird er nach und nach den Kampf aufgeben. Er wird für Augenblicke stehenbleiben. Und wenn der Verstand stehenbleibt, gibt es keinen Verstand mehr, denn der Verstand kann nur in der Bewegung existieren, Denken ist ohne Bewegung nicht möglich. Wenn sich nichts mehr bewegt im Gehirn, verschwinden alle Gedanken, du kannst nicht denken, denn Denken ist ein Bewegungsablauf – ein Springen von einem Gedanken zum anderen. Es ist ein Prozeß.

Wenn du ununterbrochen ein und denselben Gegenstand anstarrst und dabei völlig bewußt und wach bist – es ist ja auch möglich, mit leblosen Augen zu starren, unbewußt – dann gehen die Gedanken weiter; die Augen sind offen, aber tot; du schaust nicht wirklich. Du kannst mit völlig abwesenden Augen schauen, aber dabei wird die Bewegung in deinem Verstand nicht aufhören. Das bringt dir gar nichts. Starren heißt nicht, einfach nur die Augen aufzumachen, sondern bedeutet, daß dein ganzer Verstand sich durch die Augen hindurch auf einen Brennpunkt konzentriert.

Es ist egal, welches Objekt du anstarrst – es kommt darauf an: Wenn du Licht magst, okay; wenn du in die Dunkelheit starren kannst, gut. Welchen Gegenstand du anstarrst ist ohne tiefere Bedeutung – es geht darum, den

Denkprozeß durch Starren völlig zum Stillstand zu bringen, ihn auf einen Brennpunkt zu fixieren, so daß das innere Gezappel, die Schwankungen aufhören. Die inneren Wellen legen sich. Du schaust nur, sonst nichts. Dieses totale Schauen wird dich vollkommen verändern. Es wird zu einer Meditation.

Spiegelstarren

Schliesse die Türen zu deinem Zimmer und setze dich vor einen großen Spiegel. Das Zimmer muß dunkel sein. Stelle eine kleine Kerze neben den Spiegel, und zwar so, daß die Flamme nicht direkt reflektiert wird. Nur dein Gesicht wird widergespiegelt, nicht die Flamme. Und dann starre unentwegt in deine Augen im Spiegel. Blinzle nicht. Dieses Experiment mußt du jeden Tag für vierzig Minuten wiederholen, und nach zwei oder drei Tagen wirst du in der Lage sein zu starren, ohne die Lider zu bewegen.

Auch wenn Tränen kommen, bewege deine Augenlider nicht, starre immer weiter in deine Augen, bleibe dabei; laß die Tränen ruhig fließen, und innerhalb von zwei oder drei Tagen wirst du auf ein ganz seltsames Phänomen stoßen. Dein Gesicht wird neue Formen annehmen. Vielleicht erschreckt dich das. Das Gesicht, das du im Spiegel siehst, wird sich auf einmal verändern! Es wird manchmal ein total anderes Gesicht auftauchen, ein dir völlig unbekanntes.

Aber tatsächlich gehören alle diese Gesichter zu dir. Jetzt brechen unterbewußte Schichten deines Bewußtseins auf. Diese Gesichter, diese Masken, das bist du. Es kann sogar vorkommen, daß eines deiner Gesichter aus einem vergangenen Leben auftaucht. Nach einer Woche, wenn du jeden Tag vierzig Minuten lang in den Spiegel gestarrt hast, wird dein Gesicht zu einem Strom von Gesichtern, wechselnd wie ein Film. Gesichter werden ständig kommen und gehen. Nach drei Wochen wirst du dich nicht mehr erinnern können, welches Gesicht nun deines ist. Du wirst dich nicht mehr an dein Gesicht erinnern können, weil du so viele Gesichter vor dir hast auftauchen sehen.

Wenn du diese Meditation regelmäßig weitermachst, dann wird irgendwann nach drei Wochen das allerseltsamste passieren: Du wirst auf einmal gar kein Gesicht mehr im Spiegel sehen. Der Spiegel ist leer, du starrst ins Leere. Da ist gar kein Gesicht mehr. Und dies ist der Augenblick: Schließe die Augen und begegne dem Unbewußten.

Du wirst ganz entblößt sein – total nackt, so wie du bist. Alle Täuschungen werden von dir abfallen.

Vertiefe dich in das Wesen des Buddha

Stelle dir eine kleine Buddha-Figur in dein Zimmer und setze dich davor, wann immer du Zeit hast, und vertiefe dich in den Anblick.

Die Buddha-Figur wurde nicht einfach als ein Standbild geschaffen; sie wurde als Objekt der Meditation geschaffen. Sie stellt nicht Buddha dar, wie er wirklich aussah – so sah er nicht aus. Sie ist ein Sinnbild. Statt Buddhas körperlicher Gestalt stellt sie vielmehr sinnbildlich seine innere Anmut dar.

Nicht, daß er genau diese körperliche Gestalt, dieses Gesicht, diese Nase, diese Augen gehabt hätte; darum geht es überhaupt nicht. Diese Figur ist nicht realistisch. Sie drückt etwas über die Realität jenseits der sogenannten Realität aus, sie ist also ein *yantra*. Man kann beim bloßen Betrachten dieser Figur in Meditation versinken. Das ist der Grund, weshalb Tausende solcher Buddha-Figuren gemacht wurden: Von keinem anderen Menschen gibt es so viele Figuren wie von Buddha . Es gibt Tempel – in einem einzigen Tempel können zehntausend Buddha-Figuren stehen, nur um eine Atmosphäre von Meditation zu schaffen. Wohin du blickst, überall siehst du die Gestalt Buddhas, das Buddha-Wesen, jene Stille, jene Anmut, jene geschlossenen Augen, jene friedvolle Haltung, jene Ausgeglichenheit, jenes Ebenmaß. Diese Buddha-Figuren sind Musik aus Marmor, in Stein gemeißelte Lehren.

Shiva Netra

Diese Meditation gilt dem dritten Auge und besteht aus zwei Phasen, die sich dreimal wiederholen – insgesamt sechs Phasen von je 10 Minuten.

Erste Phase: 10 Minuten
Sitze absolut still und schaue mit diffusem Blick auf ein blaues Licht.

Zweite Phase: 10 Minuten
Schließe die Augen und wiege deinen Körper langsam und sanft hin und her.

Wiederhole das dreimal.

Laß einen Stern herein

Werde immer mehr eins mit den Sternen. Wenn Sterne am Himmel sind, und die Nacht klar ist, lege dich auf die Erde und schaue in die Sterne. Wenn du dich zu einem Stern ganz besonders hingezogen fühlst, konzentriere dich auf diesen einzelnen Stern. Während du dich darauf konzentrierst, stelle dir vor, du seist ein kleiner See, und dieser Stern spiegelt sich nun bis in deine Tiefen wieder. Sieh also den Stern am Himmel und den Stern, der sich in dir widerspiegelt. Laß dies deine Meditation werden, und es wird eine ungeheuer große Freude und Fröhlichkeit daraus entstehen. Wenn du erst einmal das Gefühl kennst, brauchst du nur deine Augen zu schließen, und du wirst diesen Stern sehen – deinen Stern; aber zuerst mußt du ihn finden.

Im Osten gibt es einen Mythos, der besagt, daß jeder Mensch seinen bestimmten Stern hat. Nicht jeder Stern ist für jeden Menschen da, jeder hat seinen ganz besonderen Stern. Dieser Mythos ist wunderschön.

Was das Meditieren anbelangt, so kannst du einen Stern finden, der zu dir gehört und zu dem du gehörst. Es wird zwischen dir und dem Stern eine gewisse Vertrautheit entstehen, denn wir bestehen genau wie die Sterne aus Licht. Unsere Schwingungen sind genauso leicht wie die Schwingungen der Sterne. Du kannst jederzeit einen Stern finden, der dir ganz einfach vertraut ist, der mit dir auf derselben Wellenlänge liegt. Das ist dein Stern; meditiere auf ihn. Laß es nach und nach immer mehr zu, daß er in dich eindringt. Schau ihn dir an, und dann mach die Augen zu und sieh ihn in dir. Öffne die Augen, schau ihn an. Schließe die Augen, sieh ihn in dir. Bald wirst du feststellen, daß er in dir wohnt. Und dann wird er immer da sein, sobald du die Augen schließt.

Und wenn du ihn in dir fühlen kannst, fühle ihn in deiner Nabelgegend; ungefähr fünf Zentimeter unterhalb des Nabels. Lege ihn hier ab; tu ihn immer wieder da hin, und du wirst bald fühlen, wie ein großes Licht in dir aufgeht, so als ob wirklich ein Stern in dir aufgegangen wäre; und nicht nur du wirst es fühlen, andere werden es auch fühlen – daß dein Körper von einem ganz besonderen Lichtschein umgeben ist, dein Gesicht ist von Licht umgeben. Wenn du nur ein paar Nächte lang in die Sterne schaust, wirst du deinen Stern finden können.

Die Mondsucht-Meditation

Fange drei Nächte vor der nächsten Vollmondnacht mit folgender Meditation an: Geh unter den freien Himmel, schau den Mond an und fange an, dich hin und her zu wiegen. Fühle dich so, als hättest du dich ganz dem Mond überlassen – wie von ihm besessen. Schau den Mond an, entspanne dich und sage dem Mond, daß du ganz für ihn offen bist und daß er mit dir tun soll, was er will. Und laß alles zu, was dann passiert.

Wenn dir danach ist, dich hin und her zu wiegen, dann tu das; oder wenn du tanzen oder singen willst – tu's. Aber das Ganze sollte so sein, als ob du unter einem Einfluß wärest – du bist nicht der Handelnde, es geschieht einfach. Du bist ein Instrument, auf dem jemand spielt.

Tu dies drei Nächte lang vor Vollmond, und so, wie der Mond immer voller und voller wird, so wirst du immer mehr und mehr Energie in dir spüren. Das Gefühl der Besessenheit wird immer stärker werden. Wenn dann der Vollmond auftaucht, wirst du total verrückt sein. Nach nur einer Stunde Tanzen und Verrücktsein wirst du dich so entspannt fühlen wie nie zuvor.

Schlafe als Kosmos ein

Sitze ganz still und meditiere darüber, daß du unbegrenzt bist, daß die Grenzen des Universums auch deine Grenzen sind. Fühle, wie du dich ausdehnst, laß dieses Gefühl allumfassend werden: Die Sonne geht in dir auf, die Sterne ziehen ihre Bahn in dir, Bäume wachsen in dir, und Welten kommen und gehen – und fühle dich in diesem ausgedehnten Bewußtseinszustand unheimlich glückselig. Und das wird zu deiner Meditation. Wann immer du Zeit hast und nichts tust, setze dich ganz still hin und fühle dich weit. Laß alle Grenzen fallen. Springe aus den Grenzen heraus. In den ersten paar Tagen, wenn du diese Meditation noch nicht kennst, wird dir das Ganze etwas verrückt erscheinen, denn wir haben uns viel zu sehr an Begrenztheit gewöhnt. In Wirklichkeit gibt es sie gar nicht. Jede Begrenzung ist eine vom Verstand gezogene Grenzlinie. Nur weil wir glauben, daß es so ist, ist es so. Gehe so oft wie möglich in dieses Gefühl hinein, daß du so grenzenlos weit wie der Ozean bist, und du wirst bald sehr vertraut damit werden. Dann brauchst du bald nur noch einen kleinen Knopfdruck, und es ist da. Jede Nacht, wenn du dich Schlafen legst, gehe in dieses ausgedehnte Bewußsein und schlafe damit ein. Schlafe mit dem Gefühl ein, daß die Sterne in dir ihre Bahn ziehen, daß die Welt in dir entsteht und wieder verschwindet. Schlafe mit dem Gefühl ein, daß du der Kosmos bist. Und am Morgen, gleich im ersten Augenblick, wenn dir bewußt wird, daß du nicht mehr schläfst, rufe dir dieses Gefühl ins Bewußtsein zurück und steige auch in dem Gefühl aus dem Bett, daß du das Universum bist. Und erinnere dich auch tagsüber an dieses Gefühl, so oft du nur kannst.

Phantasie-Spiele

Alles ist unwirklich

Wenn du einmal im Kino bist, probiere folgendes aus. Es ist eine gute Meditation. Versuche dir einfach immer wieder bewußt zu machen, daß es nicht real ist: es ist nicht real...

Denke immer wieder daran, daß es nicht real ist, daß die Leinwand leer ist, und du wirst erstaunt sein: ein paar Sekunden lang kannst du es behalten – und schon hast du es wieder vergessen, der Film ist wieder Realität geworden. Jedesmal, wenn du dich selbst vergißt, wird der Traum zur Realität. Immer wenn du dich an dich selbst erinnerst – ich bin real – und dir dabei einen Ruck gibst, wird die Leinwand und alles, was sich auf ihr abspielt, unreal.

Die Meditation in der Meditation

Wenn es Nacht ist, mach das Licht aus, setze dich auf dein Bett und schließe die Augen. Stell dir vor, du bist in einem Wald... große grüne Bäume, Wildnis. Stelle dir vor, wie du dastehst und fange dann an zu gehen. Laß alles geschehen, erzwinge nichts. Sage nicht: „Ich würde gern zu diesem Baum gehen" – nein, laß die Bewegung einfach geschehen. Wenn du so fünf bis sieben Minuten lang durch den Wald gegangen bist, kommst du an eine Höhle.

Fühle jede Einzelheit – die Erde unter deinen Füßen, berühre die Steinwände der Höhle mit deinen Händen, fühle ihre Beschaffenheit, fühle, wie kühl sie sind. In der

Nähe der Höhle ist ein Wasserfall. Du wirst ihn finden. Ein kleiner Wasserfall... und das Geräusch von Wasser, das herunterplätschert. Nimm das Geräusch auf und höre die Stille des Waldes und die Vögel. Laß es zu, daß du dies alles total erlebst. Dann setz dich in die Höhle und fang an zu meditieren. Es ist eine Meditation in der Meditation. Habt ihr schon einmal diese chinesischen Schachteln gesehen? Eine Schachtel in einer anderen Schachtel in einer anderen Schachtel...

Sei ein Tier!
Mache folgende Meditation nachts. Fühle dich, als wärst du überhaupt kein menschliches Wesen. Du kannst dich für irgendein Tier entscheiden. Wenn du Katzen magst, gut. Wenn du Hunde magst, gut... oder ein Tiger; männlich, weiblich, alles was du willst. Suche dir ein Tier aus, aber bleibe dann dabei. Werde zu diesem Tier. Bewege dich auf allen Vieren durch dein Zimmer und sei dieses Tier.

Geh eine Viertelstunde genießerisch in dieser Phantasie auf, so sehr du kannst. Wenn du ein Hund bist, dann belle und tue alles, was Hunde so tun – und mache es wirklich! Genieße es. Und halte dich nicht unter Kontrolle, ein Hund kann sich ja auch nicht kontrollieren. Ein Hund sein heißt, absolut frei sein, was also immer in diesem Augenblick geschieht, tu es. Bringe in dem Moment nicht das menschliche Element der Kontrolle ins Spiel. Sei wirklich und ganz verbissen ein Hund. Streife fünf zehn

Minuten lang durch dein Zimmer... belle, springe herum. Du wirst viel davon haben. Ihr braucht alle mehr Tier-Energie. Ihr seid zu verfeinert, zu zivilisiert, und das ist es, was euch lähmt. Zu viel Zivilisiertheit lähmt. In kleiner Dosierung ist sie gut, aber wenn man zuviel davon abbekommt, ist es gefährlich. Man muß jederzeit zum Tier werden können. Dein Tier in dir muß freigelassen werden.

Wenn du lernen kannst, wieder ein bißchen wild zu sein, werden alle deine Probleme verschwinden. Fange heute nacht damit an – und genieße es.

Sei so negativ wie du kannst

Man kann Meditation nicht positiv angehen.
Du kannst sie nicht an den Haaren herbeiziehen,
du kannst sie nicht manipulieren.
Eine manipulierte Meditation bringt überhaupt nichts.

Versuche folgende Methode jeden Abend sechzig Minuten lang. Werde vierzig Minuten lang negativ – so negativ du nur kannst. Mache die Türen zu, leg überall im Zimmer Kissen aus. Schalte das Telefon ab, und sage jedem, daß du für eine Stunde nicht gestört werden willst. Hänge einen Zettel vor die Tür, daß du für die nächste Stunde absolut in Ruhe gelassen werden willst. Verdunkle den Raum. Lege eine trübsinnige Musik auf und fühle dich abgestorben. Sitze da und sei negativ. Wiederhole „Nein" als dein Mantra.

Rufe dir traurige Szenen aus der Vergangenheit ins Gedächtnis: Du warst schwerfällig und leblos, hattest Selbstmordgedanken, und dein Leben war ohne Feuer. Übertreibe das alles. Ruf dir die ganze Situation zurück. Dein Verstand wird dazwischen funken und sagen: „Was tust du denn da? Die Nacht ist so schön, und es ist Vollmond!" Höre nicht auf ihn. Sag ihm, daß er sich später wieder melden kann, daß du aber jetzt total negativ sein willst. Sei ganz gewissenhaft negativ. Weine, winsle, rufe, schreie, fluche – was immer du gerade fühlst – aber vergiß dabei eins nicht: Werde nicht glücklich, laß es nicht zu, daß Glücksgefühle in dir aufkommen. Wenn du dich dabei erwischst, gib dir sofort eine Ohrfeige! Gehe zurück in die Negativität, schlage auf die Kissen ein, kämpfe mit ihnen, stürze dich auf sie. Sei gemein! Und du wirst enorme Schwierigkeiten haben, ganze vierzig Minuten lang negativ zu bleiben.

Dies ist eine der grundlegenden Gesetzmäßigkeiten des Verstandes: Alles das, was du sonst unbewußt tust, kannst du bewußt nicht mehr tun. Tu es aber trotzdem – und wenn du es bewußt tust, siehst du dich davon getrennt. Du tust es, bist aber trotzdem ein Beobachter; du verlierst dich nicht darin. Es besteht ein Abstand, und dieser Abstand ist unheimlich schön. Aber was ich sage ist nicht, daß du diesen Abstand herstellen sollst.

Er ist ein Nebenprodukt – du brauchst dich darum nicht zu kümmern.

Wirf nach diesen vierzig Minuten plötzlich alle Negativität ab. Wirf die Kissen weg, mache alle Lichter an, lege schöne Musik auf und dann tanze zwanzig Minuten lang. Sage immer wieder: „Ja, ja, ja" – das ist jetzt dein Mantra. Und dann nimm genüßlich eine Dusche. Das wird deine ganze Negativität mit den Wurzeln ausreißen, und es wird dir ein ganz neues Licht aufgehen, was es heißt, „ja" zu sagen. Und das ist es ja, was Religiosität bedeutet: „ja" zu sagen. Wir sind dazu erzogen worden, „nein" zu sagen – und deshalb ist die ganze Gesellschaft häßlich geworden.

Diese Meditation wird dich völlig reinigen. Du hast Energie in dir, aber diese Energie ist überall eingekeilt von Felsen der Negativität, die sie hindern, frei zu fließen. Wenn diese Felsbrocken einmal entfernt sind, wirst du einen schönen Energiefluß haben. Er ist schon in dir, bereit herauszukommen, aber zunächst mußt du in deine Negativität gehen. Niemand kann zum Höhepunkt des Ja kommen, wenn er nicht vorher tief in das Nein hineingegangen ist. Du mußt ein Nein-Sager werden, erst daraus entsteht dann das Ja-Sagen.

„Ja, ja, ja"

Mache ein Mantra aus dem „Ja". Jede Nacht vor dem Schlafengehen wiederhole „Ja", und stimm dich darauf ein; wiege dich hin und her, laß es dein ganzes Wesen überkommen, von den Zehenspitzen bis zum Kopf. Laß es dich durchdringen.
Wiederhole: „Ja, ja, ja" – Laß das jede Nacht zehn Minuten lang dein Gebet sein und dann gehe schlafen. Und am frühen Morgen bleibe mindestens drei Minuten lang im Bett sitzen. Als allererstes wiederhole wieder „Ja" und bekomme das Gefühl dafür. Wann immer du während des Tages Negativität in dir aufkommen spürst, bleibe einfach stehen, mitten auf der Straße. Wenn du laut „Ja, ja" sagen kannst, gut. Sonst flüsterst du es eben nur: „Ja, ja."

Ein kurzes, scharfes Rütteln

Meine Meditationen sollen euch in eure Kindheit zurückbringen – als ihr noch nicht respektabel wart, als ihr noch Verrücktheiten anstellen konntet, als ihr noch unschuldig wart und noch nicht von der Gesellschaft verdorben, als ihr noch nicht die Listen der Welt kanntet, als ihr noch nicht von dieser Welt wart, sondern unweltlich. Ich möchte gerne, daß ihr zu diesem Punkt zurückkehrt – von da aus fangt wieder neu an. Und es geht um euer Leben. Achtbarkeit oder Geld sind Trostpreise, ohne realen Wert. Laßt euch nicht von ihnen verführen.

Mache das Licht aus und steh im Dunkeln. Dann fang an, den Kopf zu schütteln, nur den Kopf. Genieß das Schütteln und beobachte, wie es sich von innen anfühlt. Dann schüttle den oberen Teil des Körpers – den Kopf, die Hände, den Rumpf; schüttle den unteren Teil noch nicht. Wenn du dies fühlen und genießen kannst, dann schüttle den unteren Teil. Wenn du dies dann genießen kannst, schüttle den ganzen Körper. Es sind also drei Schritte: zuerst der Kopf, nur der Kopf, dann der Rumpf und als drittes der ganze Körper.

Fange deshalb beim Kopf an, weil du es da am Anfang am leichtesten fühlen kannst, denn das Bewußtsein ist ihm sehr nahe und es ist leichter, hier ein Beobachter zu sein – und genieße es.

Wenn du den ganzen Körper schüttelst, finde heraus, in

welcher Stellung du dich am anmutigsten fühlst, in welcher Haltung du dich am schönsten fühlst. Nehme dann nach drei Minuten diese Haltung ein – welche auch immer... Die Hände erhoben, Körper vorwärts oder seitwärts gelehnt, wie immer, und erstarre vier Minuten lang in dieser Haltung.

Diese Meditation dauert zehn Minuten: eine Minute schüttelst du den Kopf, zwei Minuten den Rumpf, drei Minuten den ganzen Körper und vier Minuten lang erstarrst du, als ob du zur Statue geworden wärest.

Fühle bei allen vier Phasen mit. Wenn du dich schüttelst, fühlst du, wie die Energie aufgewirbelt wird... dann wird der ganze Körper zu einem einzigen Aufruhr von Energie, zu einem Wirbelsturm. Fühle es – fühle dich, als seist du mitten in einem Wirbelsturm. Und dann erstarre plötzlich und bleib stehen wie eine Statue – und jetzt fühlst du deinen Mittelpunkt. Du gelangst also durch den Wirbelsturm in das Zentrum.

Lege deine Rüstung ab

Wenn du nachts vor dem Schlafengehen deine Kleider ausziehst, stelle dir vor, daß du nicht nur deine Kleider ausziehst, sondern auch deine Rüstung ablegst. Mache es wirklich.
Lege die Rüstung ab und atme erst einmal ganz tief durch – und dann lege dich schlafen ohne Rüstung, nackt, ohne etwas Beengendes.

In der Nacht

„Oh"

Bevor du dich schlafenlegst, mache das Licht aus, setze dich aufs Bett, schließe die Augen, atme tief mit einem langen „oh" aus. Dein Bauch geht nach innen, die Luft strömt nach außen, und du sagst die ganze Zeit „oh".
Und denke daran, ich sage nicht „aum", ich sage einfach „oh". Es wird automatisch zu „aum" werden; du brauchst nicht „aum" zu sagen. Sonst ist es unecht. Du machst einfach den Laut „oh".
Du wirst dich jedesmal danach mehr entspannen, und dein Schlaf wird eine andere Qualität bekommen – ganz und gar anders. Und dein Schlaf muß sich ändern. Nur dann kannst du immer mehr wach und bewußt werden. Und deshalb fangen wir damit an, deinen Schlaf zu verändern.
Wenn du ganz ausgeatmest hast und dein Mund dabei den Laut „oh" geformt hat und wenn du fühlst, daß der Atem voll und ganz ausgeströmt ist, so daß du nicht mehr weiter ausatmen kannst, dann halte für einen winzigen Augenblick an. Atme nicht ein, atme nicht aus. Stop! In diesem Stop bist du das Göttliche. In diesem Stop tust du gar nichts, nicht einmal atmen. In diesem Stop bist du im Ozean.
Die Zeit ist nicht mehr da, denn die Zeit bewegt sich mit dem Atem. Es ist, als hielte die ganze Existenz zusammen mit dir an. In diesem Stop kannst du dir der tiefsten Quelle deines Wesens und deiner Energie bewußt werden.

Halte also für einen Augenblick an.
Dann atme durch die Nase ein. Aber gib dir keine Mühe beim Einatmen. Denke daran, daß du dir alle Mühe beim Ausatmen gibst, aber das Einatmen geht ganz mühelos. Laß einfach den Körper von selbst einatmen. Bleib einfach ganz locker und überlasse dem Körper das Einatmen. Du tust dabei gar nichts.
Das Leben atmet von selbst; es folgt von selbst seiner eigenen Bahn. Es ist ein Fluß; ihr treibt es ganz unnötig an. Du wirst sehen, daß der Körper das Einatmen übernimmt. Deine Anstrengung ist nicht notwendig, dein Ego ist nicht notwendig, du bist nicht notwendig. Du wirst einfach zum Beobachter. Du siehst einfach zu, wie der Körper einatmet. Eine tiefe Ruhe erfaßt dich.
Wenn der Körper einen vollen Atemzug genommen hat, halte wieder für einen Augenblick an. Und beobachte wieder. Diese zwei Augenblicke sind total unterschiedlich. Wenn du ganz ausgeatmet hast und innehältst – dies Innehalten ist wie der Tod. Wenn du voll eingeatmet hast und innehältst – ist dieses Innehalten der Höhepunkt des Lebens. Denke daran, Einatmen ist gleichbedeutend mit Leben, Ausatmen ist gleichbedeutend mit Tod.
Fühle es! Fühle beide Augenblicke. Und ich sage deshalb, daß du zweimal innehalten sollst – nach dem Einatmen und nach dem Ausatmen, damit du beides fühlen kannst, das Leben und den Tod. Wenn du erst einmal weißt, daß „dies" das Leben ist und „dies" der Tod, hast du beides transzendiert.

Der Zeuge ist weder Tod noch Leben. Der Zeuge wird nie geboren und stirbt nie. Nur der Körper stirbt – der Mechanismus. Du bist das dritte geworden.
Mache diese Meditation zwanzig Minuten lang und dann laß dich fallen und schlaf ein.

Lebens- und Todesmeditation

Mache folgende fünfzehnminütige Meditation nachts vor dem Einschlafen. Es ist eine Todes-Meditation. Lege dich hin und entspanne den Körper. Fühle, wie du langsam stirbst und daß du deinen Körper nicht mehr bewegen kannst, weil du tot bist. Hab das Gefühl, daß du aus dem Körper verschwindest. Mache dies zehn bis fünfzehn Minuten lang, und nach einer Woche wirst du es fühlen können. Schlafe während dieser Meditation ein. Unterbrich sie durch nichts. Laß die Meditation in Schlaf übergehen, und wenn der Schlaf dich überkommt, geh mit.
Mache sofort am Morgen, wenn du wach wirst – ohne die Augen zu öffnen – die Lebens-Meditation. Fühle, wie du immer lebendiger wirst, daß das Leben zurückkommt und wie der ganze Körper voller Vitalität und Energie ist. Fang an, dich zu bewegen, wiege dich im Bett hin und her, mit geschlossenen Augen. Fühle, wie das Leben in dich strömt. Fühle, daß der Körper eine starke fließende Energie in sich hat – genau das Gegenteil der Todes-Meditation. Mache also nachts vor dem Einschlafen die Todes-Meditation und morgens kurz vor dem Aufstehen die Lebens-Meditation.
Bei der Lebens-Meditation kannst du tiefe Atemzüge machen. Fühl dich voller Energie... fühle, wie mit dem Atem Leben in dich kommt.
Fühl dich erfüllt und sehr glücklich, lebendig. Dann steh nach fünfzehn Minuten auf.

In der Nacht

Such dir ein Babyfläschchen

Jede Nacht, bevor du schlafen gehst, nimm ein Milchfläschchen für Kinder in den Mund. Rolle dich wie ein kleines Kind zusammen und nuckle an der Brust. Etwas ganz tief in dir wird befriedigt sein.

Schaue deiner Angst in die Augen

Du kannst dich vor einem anderen Menschen nicht völlig bloßstellen. Daher haben wir im Osten nie so etwas wie die Psychoanalyse entwickelt: Wir haben stattdessen die Meditation entwickelt. In der Meditation entblößt du dich vor dir selbst. Das ist die einzige Möglichkeit, absolut wahr zu sein, denn es gibt keine Angst.

Osho hat uns eine Anzahl von Techniken gegeben, die uns zeigen können, wie wir unserer Angst begegnen und sie akzeptieren können, in welcher Form sie auch auftritt.

Gehe in deine Angst hinein

Lebe jeden Abend vierzig Minuten lang deine Angst aus. Setze dich in dein Zimmer, mache das Licht aus und fange an, Angst zu bekommen. Denke an alle möglichen schrecklichen Dinge, Gespenster und Dämonen, was immer du dir vorstellen kannst. Erfinde sie, stelle dir vor, daß sie alle um dich herumtanzen und mit allen teuflischen Kräften nach dir greifen. Laß dich durch deine eigene Vorstellungskraft erschüttern und gehe mit deiner Phantasie bis zum äußersten – sie bringen dich um, sie wollen dich vergewaltigen, sie würgen dich. Und nicht nur einer oder zwei – viele, sie bearbeiten dich von allen Seiten. Gehe so tief wie möglich in die Angst hinein und gehe durch alles, was auch immer geschehen mag.

Und als zweites: Wann immer Angst aufkommt, tagsüber oder nachts, akzeptiere es. Unterdrücke sie nicht. Glaub nicht, daß sie etwas ist, das du überwinden mußt; sie ist natürlich. Wenn du sie akzeptierst und sie jeden Abend herausläßt, wird sich vieles in dir verändern.

Gehe in deine Leere hinein
Mache es dir zur Gewohnheit, jeden Abend vor dem Schlafengehen die Augen zu schließen und für zwanzig Minuten in deine Leere einzutauchen. Akzeptiere sie, laß sie sein, wo sie ist. Angst kommt hoch – laß auch sie zu. Zittere vor Angst, aber weiche dieser Situation nicht aus, die sich da herauskristallisiert. Schon nach zwei oder drei Wochen wird es dir schön vorkommen, wirst du es als Segen empfinden. Wenn du einmal diesen Segen gespürt hast, verschwindet deine Angst ganz von selbst.
Du darfst nicht mit ihr kämpfen. Du wirst dich nach drei Wochen auf einmal so glücklich, so energiegeladen, so froh fühlen, so als wäre jetzt die Nacht vorüber und die Sonne wäre am Horizont aufgetaucht.

Kehre zurück in den Mutterleib

Setze dich vor dem Schlafengehen auf dein Bett – ganz entspannt – und schließ deine Augen. Fühl, wie sich dein Körper entspannt... Wenn sich dein Körper nach vorne beugt, laß es zu; er darf es. Es kann sein, daß er die Stellung eines Fötus im Mutterleib annehmen möchte – so wie ein Kind in der Gebärmutter liegt. Wenn du dich danach fühlst, dann gehe einfach in diese Stellung; werde zu einem kleinen Kind im Mutterleib.

Und dann höre auf deinen Atem; tu nichts sonst. Höre ihm einfach zu – der Atem strömt ein, der Atem strömt aus; der Atem strömt ein, der Atem strömt aus. Ich sage nicht, daß du es mitsagen sollst – fühl einfach, wie er einströmt; wenn er ausströmt, fühl, wie er ausströmt.

Fühl es einfach, und du wirst dabei eine unwahrscheinlich große Stille und Klarheit in dir aufgehen spüren.

Zehn bis zwanzig Minuten genügen schon – mindestens zehn, höchstens zwanzig Minuten. Dann schlafe ein.

Laß deine Stimmen raus

*Man muß sich eines Tages mit seiner Einsamkeit anfreunden.
Wenn du ihr einmal in die Augen geschaut hast, verändert die
Einsamkeit ihre Farbe, ihre Qualität; sie schmeckt dann völlig
anders. Sie wird zur All-einheit. Dann ist sie nicht mehr Isolation;
sie ist Alleinsein mit dir selbst. Isolation birgt Unglück;
All-einheit weitet sich zu Glückseligkeit aus.*

Wenn die Meditation Energie in dir freisetzt, wird sie sich
– je nach Talent – ganz verschieden äußern. Wenn du ein
Maler bist, und bei deiner Meditation Energien freigesetzt
werden, wirst du noch mehr malen, du wirst wie verrückt
malen, wirst alles andere vergessen, die ganze Welt um
dich herum. Deine ganze Energie wird in deine Malerei
gehen. Wenn du ein Tänzer bist, wird dich deine Meditation zu einem sehr tieffühlenden Tänzer machen. Es
kommt auf die Kapazität, das Talent, die Individualität, die
Persönlichkeit an. Es kann also niemand wissen, was passieren wird. Es kommt manchmal vor, daß sich jemand
plötzlich verändert. Jemand, der immer sehr schweigsam
war, wird plötzlich ganz gesprächig. Er hat vielleicht das
Reden unterdrückt, vielleicht war es ihm nie erlaubt zu
reden. Wenn die Energie aufsteigt und in Fluß ist, fängt er
dann auf einmal an zu reden.
Setze dich jede Nacht vor dem Schlafengehen vierzig Minuten lang mit dem Gesicht zur Wand und fange an zu

reden – rede laut. Genieße es... Sei voll bei der Sache. Wenn du feststellst, daß es zwei Stimmen in dir gibt, dann rede für beide Stimmen. Unterstütze die eine Seite, dann antworte für die andere Seite, und sieh zu, wie du ein schönes Zwiegespräch zwischen den beiden herstellen kannst.

Versuche nicht, es zu manipulieren; denn du sagst dies alles nicht für einen anderen. Wenn es verrückt wird, laß es zu. Versuche nicht, etwas wegzulassen oder zu zensieren, denn sonst verliert das Ganze seinen Sinn und Zweck.

Brabbel-Meditation

*Ich kann euch nicht gleich anfangs die Türen zum Himmel
aufmachen, und ihr könnt nicht gleich still sein.
Seid vorher erst total verrückt.*

*Dies ist eine sehr stark kathartische Technik, die zu starken
Körperbewegungen anregt. Sie ist nicht zu verwechseln mit der
sanften Devavani Meditation, die später beschrieben wird.*

Diese Meditation kann entweder allein oder in einer Gruppe gemacht werden; schließe die Augen und fange an, irgendwelche unsinnigen Laute von dir zu geben – einfach Brabbeln. Vertiefe dich fünfzehn Minuten lang total ins Brabbeln. Erlaube dir, alles das auszudrücken, was aus dir rauswill. Wirf alles hinaus. Der Verstand denkt immer in Form von Worten. Das Brabbeln hilft dabei, diese Verhaltensweise ständiger Verbalisierung zu durchbrechen. Du brauchst deine Gedanken nicht zu unterdrücken. Du kannst sie hinauswerfen – als Brabbeln. Laß auch deinen Körper sich ausdrücken.

Danach lege dich fünfzehn Minuten lang mit dem Gefühl auf den Bauch, als würdest du mit Mutter Erde verschmelzen. Fühle, wie du bei jedem Ausatmen mit dem Boden unter dir verschmilzt.

Gebet

Gott ist ein Vorwand, damit du beten kannst.
Wenn du es kannst, dann vergiß Gott.
Beten an sich ist genug – mehr als genug.

Es gibt niemanden, der deine Gebete hört. Dein Gebet ist lediglich ein Selbstgespräch; du betest zu einem leeren Himmel. Niemand wird dich jemals für deine Gebete belohnen – vergiß das nie. Wenn du wirklich weißt, was Gebet ist, dann ist dir das Gebet an sich schon Erfüllung genug. Es gibt niemand anderen, der dich dafür belohnt – weder in der Zukunft, noch im Jenseits.

Beten ist so schön – wen kümmert da die Zukunft, wer denkt an Belohnung? Das ist Habgier, diese Idee der Belohnung. Das Beten an sich ist eine solche Feier, es bringt so große Freude und Ekstase, daß man um des Betens willen betet. Man betet nicht aus Angst, man betet nicht aus Habgier. Man betet, weil man Freude daran hat. Man verliert nicht einmal einen Gedanken daran, ob es einen Gott gibt oder nicht.

Wenn du das Tanzen liebst, fragst du nicht, ob es einen Gott gibt oder nicht. Wenn du das Tanzen liebst, dann tanzt du einfach; du kümmerst dich nicht darum, ob dir jemand vom Himmel aus beim Tanzen zuschaut oder nicht. Oder ob dich die Sterne, die Sonne und der Mond für deinen Tanz belohnen; das ist dir gleich. Das Tanzen selbst ist genügend Belohnung. Wenn du gerne singst, dann singst du; es kommt dir nicht darauf an, ob dir jemand zuhört oder nicht.

So ist es auch mit dem Beten. Es ist ein Tanz, es ist ein Lied, es ist Musik, es ist Liebe. Du genießt es, das ist alles. Das Gebet ist das Mittel und das Gebet ist der Zweck. Wenn Zweck und Mittel nicht getrennt voneinander sind – erst dann weißt du, was Beten ist.

Wenn ich „Beten" sage, meine ich ein Offensein für Gott. Nicht, daß du irgendetwas zu sagen brauchst, nicht, daß du um etwas zu bitten brauchst, es ist nur ein Offensein, so daß du, wenn er dir etwas geben will, für ihn erreichbar bist. Eine tiefe Erwartung – aber ohne Forderung – das ist es, was du brauchst. Ein inbrünstiges Warten – so als ob jeden Moment etwas passieren könnte. Du fieberst dem Unbekannten entgegen, bist aber wunschlos. Du willst nicht, daß dies passieren, oder jenes nicht passieren sollte. In dem Moment, wo du nach etwas fragst, ist dein Gebet korrupt.

Wenn du nichts verlangst, wenn du einfach still bist, aber offen, bereit, überall hinzugehen, selbst zum Sterben bereit, wenn du einfach in einem rezeptiven, passiven, alles willkommenheißenden Zustand bist, dann geschieht Gebet.

Gebet ist nichts, was man tun kann. Es ist keine Handlung oder Aktivität – es ist ein geistiger Zustand.

Wenn du reden möchtest, rede; aber vergiß nicht: Dein Reden wird der Existenz egal sein. Es wird etwas in dir bewirken, und das mag gut sein, aber dein Gebet wird nicht Gottes Meinung ändern. Es kann dich verändern, und wenn es dich nicht verändert, dann war es nur ein Trick. Du kannst jahrelang beten, aber wenn dich das Beten nicht verändert, dann höre damit auf, wirf es weg, es ist nichts wert; trage es nicht weiter mit dir herum.

Beten kann Gott nicht verändern. Ihr denkt immer, daß Gott seine Einstellung ändert, wenn ihr zu ihm betet, daß Er euch wohlgesinnter wird, daß ihr ihn damit ein bißchen mehr auf eure Seite bringt. Aber es ist niemand da, der zuhört. Dieser weite Himmel kann euch nicht zuhören. Dieser weite Himmel kann nur mit dir sein, wenn du mit ihm bist – es gibt keine andere Art zu beten. Ich kann euch vorschlagen zu beten, aber das Beten sollte einfach nur ein Energie-Phänomen sein; keine Angelegenheit zwischen einem Anbeter und Gott, sondern ein Energie-Ereignis.

Gebetsmeditation

Es ist am besten, diese Meditation nachts zu machen – in einem dunklen Raum – und danach gleich einzuschlafen; oder morgens, aber dann muß man noch fünfzehn Minuten danach ruhen. Dieses Ruhen nach der Meditation ist notwendig, weil du dich sonst wie betrunken fühlst, wie betäubt.
Dieses Einswerden mit der Energie ist Beten. Es verändert dich. Und wenn du dich veränderst, verändert sich die ganze Existenz.
Hebe beide Hände zum Himmel, die Handflächen nach oben, den Kopf nach oben, und fühle, wie die Existenz in dich fließt.
Wenn die Energie durch deine Arme nach unten fließt, wirst du ein leichtes Beben verspüren – sei wie ein Blatt im Wind, erzittere. Laß es geschehen, unterstütze es. Und dann lasse deinen ganzen Körper vor Energie vibrieren und laß einfach alles geschehen, was geschieht.
Du fühlst, wie du dich wieder mit der Erde vereinigst: Erde und Himmel, oben und unten, Yin und Yang, männlich und weiblich – du verströmst, du vermischst dich, du läßt dich ganz fallen. Du bist nicht. Du wirst eins... verschmilzt. Nach zwei oder drei Minuten, oder wann immer du dich völlig erfüllt fühlst, beuge dich zur Erde und küsse die Erde. Du wirst einfach zu einem Medium, durch welches sich die göttliche Energie mit der Energie der Erde vereinigen kann.

Diese zwei Phasen sollten noch sechsmal wiederholt werden, damit jedes einzelne Chakra frei von Blockaden werden kann. Man kann es öfter wiederholen, aber weniger würde dich unruhig machen, und du könntest nicht einschlafen.

Schlafe gleich in diesem Zustand der Andacht ein. Schlafe ein und die Energie wird bleiben. Du strömst mit ihr und schläfst dabei ein. Das wird dir ungeheuer helfen, denn so wird dich die Energie die ganze Nacht lang einhüllen und in dir weiterwirken. Morgens wirst du dich dann frischer fühlen denn je, lebendiger als je zuvor. Ein neuer Elan, ein neues Leben wird in dir sein, und du wirst dich den ganzen Tag lang von einer ungekannten Energie erfüllt fühlen; eine neue Beschwingtheit, ein neues Lied im Herzen, ein neuer Tanz in deinem Schritt.

Latihan

Stelle dich locker hin und warte darauf, daß sich Gott, das Ganze in dir bewegt. Dann tue, was immer du gerade tun willst in einer zutiefst andächtigen Stimmung – „dein Wille geschehe" – und entspanne dich.
Es ist wie beim automatischen Schreiben. Man hält einfach den Stift in der Hand und wartet. Auf einmal ergreift eine Energie von irgendwoher die Hand, und sie fängt sich zu bewegen an. Man ist total überrascht – die eigene Hand bewegt sich, ohne daß man selbst etwas tut! Genau so mußt du warten, und nach drei oder vier Minuten wirst du auf einmal spüren, wie Zuckungen durch deinen Körper gehen, und du fühlst, wie Energie in dich kommt. Werde nicht ängstlich, wenn es auch sehr beängstigend ist. Du tust es nicht. Tatsächlich bist du nur ein Zeuge; es geschieht.
Gehe mit dem, was geschieht. Der Körper wird viele verschiedene Haltungen einnehmen – er wird sich bewegen, tanzen, sich wiegen, beben, sich schütteln; viel wird geschehen. Laß alles zu, und nicht nur das, unterstütze es. Dann wirst du genau das erreichen, was wir in Indien *Sahaj Yoga* nennen.
Latihan ist nichts Neues. Das Wort ist neu. Es ist lediglich eine neue Version von Sahaj Yoga – spontanes Yoga. Du überläßt alles dem Göttlichen, denn der Verstand ist trickreich. Du wirst bald den Unterschied sehen, denn du wirst nur ein Beobachter sein. Du wirst erstaunt sein,

wenn sich deine Hand bewegt, ohne daß du selbst sie bewegst. Wenn du dich ein paar Tage lang da hinein entspannt hast, wirst du auf einmal nicht mehr aufhören können, selbst wenn du es wolltest; du wirst sehen, daß du ein Medium bist.

Du mußt am Anfang beten und sagen: „Ergreife für zwanzig Minuten Besitz von meinem Wesen und tu alles, was du tun willst: Dein Wille geschehe; dein Reich komme." Mit dieser Einstellung entspannst du dich. Gott wird in dir zu tanzen anfangen und viele Körperhaltungen einnehmen. Die Bedürfnisse des Körpers werden gestillt, und nicht nur das – etwas Höheres als der Körper, etwas Größeres als der Körper – tiefere Bedürfnisse deines Bewußtseins werden so befriedigt.

Osho Gourishankar Meditation

Diese Technik besteht aus vier Phasen von je fünfzehn Minuten. Die ersten zwei Phasen bereiten den Meditierenden auf das spontane Latihan in der dritten Phase vor. Osho hat gesagt, daß durch das Atmen in der ersten Phase Kohlendioxyd im Blut gebildet wird, wodurch man so high werden kann wie Gourishankar – der Mount Everest.

Erste Phase: 15 Minuten
Setz dich mit geschlossenen Augen hin. Atme tief durch die Nase ein, fülle dabei die Lungen. Halte den Atem so lange wie möglich in dir, dann atme leicht durch den Mund aus und lasse die Lunge so lange wie möglich leer. Behalte diesen Atemrhythmus während der ganzen ersten Phase bei.

Zweite Phase: 15 Minuten
Atme wieder ganz normal und blicke unverwandt, aber ganz weich in eine Kerzenflamme oder auf ein Stroboskoplicht. Halte den Körper ruhig.

Dritte Phase: 15 Minuten
Stehe mit geschlossenen Augen auf und halte deinen Körper locker und empfänglich. Du wirst fühlen, daß subtile Energien deinen Körper jenseits deiner gewohnten Kontrolle bewegen. Laß dieses Latihan geschehen.

Mache nicht du die Bewegungen: Laß die Bewegungen geschehen, ganz sanft und anmutig.

Vierte Phase: 15 Minuten
Leg dich mit geschlossenen Augen hin, still und ruhig.

Die ersten drei Phasen sollten von einem regelmäßigen rhythmischen Trommelton begleitet sein, vorzugsweise zusammen mit einer weichen Hintergrundmusik. Der Trommelschlag muß siebenmal so schnell wie der normale Herzschlag sein, und das Blaulicht sollte, wenn möglich, in derselben Geschwindigkeit aufblitzen.

Osho Devavani Meditation

Alle Meditation ist ein Warten, alles Beten ist unendliche Geduld. Religion bedeutet weiter nichts, als dem Kopf zu verbieten, dir Probleme zu machen. Wenn du ihm zu warten befiehlst, dann geschieht Meditation. Wenn du ihn zum Warten überreden kannst, dann bist du im Gebet, denn Warten heißt: nicht denken. Es heißt: einfach am Ufer sitzen, und den Strom fließen lassen. Was kannst du schon tun? Was du auch tust, trübt nur sein Wasser. Du brauchst nur einen Fuß hineinzusetzen, und schon hast du Probleme; also warte.

Devavani ist die göttliche Stimme, die durch den Meditierenden hindurchgeht und durch ihn spricht, und der Meditierende wird zu einem leeren Gefäß, zu einem Medium. Diese Meditation ist ein Latihan der Zunge. Sie entspannt den bewußten Verstand so tiefgehend, daß dir ein tiefer Schlaf sicher ist, wenn du sie kurz vor dem Schlafengehen machst. Sie hat vier Phasen von je fünfzehn Minuten. In allen vier Phasen bleiben die Augen geschlossen.

Erste Phase: 15 Minuten
Sitze ganz ruhig, am besten bei sanfter Musik.

Zweite Phase: 15 Minuten
Fange an, sinnlose Laute auszustoßen, zum Beispiel „la... la... la...", und mache so lange weiter, bis unbekannte wortähnliche

Laute aufkommen. Diese Laute sollen aus dem unbekannten Teil des Gehirns kommen, den du als Kind verwendet hast, bevor du die Worte gelernt hast. Laß es in einem ruhigen Gesprächstonfall geschehen; weine, rufe, lache oder schreie nicht.

Dritte Phase: 15 Minuten
Steh auf und rede weiter, und erlaube dabei deinem Körper, sich ganz sanft in Harmonie mit den Lauten zu bewegen. Wenn dein Körper entspannt ist, werden die subtilen Energien ein Latihan jenseits deiner Kontrolle entstehen lassen.

Vierte Phase: 15 Minuten
Lege dich hin, sei ruhig und still.

Denk daran, daß du keine Laute aus einer dir bekannten Sprache benutzen darfst. Jede dir unbekannte Sprache ist erlaubt – Tibetanisch, Chinesisch, Japanisch! Wenn du Japanisch sprichst, dann ist es nicht erlaubt – dann ist Italienisch genau das Richtige! Du wirst nur am ersten Tag ein paar Sekunden lang Schwierigkeiten haben, denn wie sollst du eine Sprache sprechen, die du gar nicht kennst? Aber du kannst sie, und wenn es erst einmal losgeht, werden sich ganz von selbst irgendwelche Laute, unsinnige Worte bilden, die ganz einfach das Bewußtsein abschalten und das Unterbewußte sprechen lassen.

Das Unterbewußte spricht, ohne eine Sprache zu kennen. Es ist eine sehr sehr alte Methode. Sie stammt aus dem Alten Testament. In jenen Tagen wurde sie *glossolalia* genannt. Ein paar Kirchen in Amerika verwenden sie heute noch. Sie nennen es „in Zungen reden". Und es ist eine wunderschöne Methode, sie reicht sehr sehr tief und vermag ins Unterbewußte einzudringen.

Sei nicht fieberhaft, laß es eine ganz tiefe, wohltuende Energie sein, die dich nährt – ein SingSang. Genieße es, wiege dich; wenn du dich nach Tanzen fühlst, tanze. Aber tue alles voller Anmut, denk daran. Es soll nicht in Katharsis ausarten.

Liebe

Zwei Wege führen zur Entdeckung: Der erste ist Meditation – du suchst nach der Tiefe ohne den anderen. Der zweite ist die Liebe – du suchst nach der Tiefe mit dem anderen.

Meditation sinkt ins Herz; und wenn du in dein Herz sinkst, steigt Liebe in dir auf. Aus Meditation kommt immer Liebe, und umgekehrt genauso. Wenn du dich verliebst, folgt Meditation. Sie gehören zusammen. Es ist die gleiche Energie, sie sind nicht verschieden. Entweder du meditierst und wirst ein großer Liebender; es wird unendlich viel Liebe um dich sein, du wirst überfließen vor Liebe; oder werde ein Liebender, und du wirst zu jenem Bewußtseinszustand finden, der Meditation genannt wird – wo die Gedanken verschwinden, wo das Denken nicht mehr dein Wesen umwölkt, wo der Dunst der Schläfrigkeit, der dich einhüllt, nicht mehr vorhanden ist – der Morgen ist gekommen, du bist erwacht, du bist zum Buddha geworden.

Jede illusorische Liebe wird verschwinden...
Wenn du dich auf eine innere Wanderschaft begibst, wenden sich die Energien nach innen – dieselben Energien, die vorher nach außen gegangen waren – und du findest dich auf einmal ganz allein, wie eine Insel. Schwierigkeiten entstehen, weil du jetzt nicht wirklich daran

interessiert bist, eine Beziehung zu haben. Es liegt dir mehr daran, du selbst zu sein, und alle Beziehungen erscheinen dir wie Abhängigkeiten, wie Fesseln. Aber das ist eine vorübergehende Phase; mache dies nicht zu deiner ständigen Einstellung. Früher oder später, wenn du dich wieder in dir selbst gefestigt hast, wird deine Energie überfließen und sie wird wieder in eine Beziehung eingehen.

Wenn du zum ersten Mal meditativ wirst, erscheint die Liebe wie eine Fessel. Und in gewisser Weise ist das auch wahr, denn jemand, der nicht meditativ ist, kann nicht wirklich lieben. So eine Liebe ist falsch, illusorisch; es ist eher ein Vernarrtsein, nicht so sehr Liebe. Aber solange dir das Wirkliche nicht geschehen ist, hast du nichts, womit du dieses Vernarrtsein vergleichen kannst; wenn du meditativ wirst, löst sich das illusorische Gefühl langsam auf, es verschwindet. Sei nicht entmutigt; das ist das eine. Und das zweite – mache es dir nicht zum Prinzip. Diese zwei Möglichkeiten gibt es.

Wenn du den Mut verlierst, weil dein Liebesleben aufhört, und du daran festhalten willst, dann baust du dir damit eine Schranke vor deine Reise nach innen. Akzeptiere es – akzeptiere, daß deine Energie sich jetzt einen neuen Weg sucht und für eine kleine Weile nicht nach außen, nicht in Aktivitäten gehen will.

Wenn jemand ein schöpferischer Mensch ist und meditiert, wird zunächst all seine Kreativität verschwinden. Wenn du ein Maler bist, wirst du auf einmal feststellen, daß du nicht mehr malst. Du kannst zwar weiterhin malen, aber nach und nach wirst du jede Energie, jeden Enthusiasmus dafür verlieren. Wenn du ein Dichter bist, wird das Dichten aufhören. Wenn du gerade jemanden liebst, so wird diese Energie einfach nicht mehr da sein. Wenn du dich dazu zwingst, eine Beziehung einzugehen, wieder der Alte zu sein, dann tust du damit etwas sehr Gefährliches. Du machst nämlich zwei widersprüchliche Dinge auf einmal: Einerseits versuchst du, nach innen zu gehen, andererseits versuchst du, nach außen zu gehen.

Es ist, als würdest du einen Wagen fahren und dabei gleichzeitig auf das Gaspedal und auf die Bremse treten. Das kann großes Unheil anrichten, denn du tust zwei widersprüchliche Dinge zur gleichen Zeit.

Meditation ist nur gegen die falsche Liebe. Das Falsche wird verschwinden, und das ist eine grundsätzliche Voraussetzung dafür, daß das Reale zum Vorschein kommen kann. Das Falsche muß weichen; nur dann bist du für das Reale zugänglich.

Die andere Gefahr ist, daß du daraus einen Lebensstil machen kannst. Das ist schon vielen Leuten passiert. Sie leben in den Klöstern – alte Mönche, die es sich zum Lebensstil gemacht haben, keine Liebesbeziehung einzugehen. Sie denken, daß Liebe gegen die Meditation ist, und daß die Meditation gegen die Liebe ist – das ist nicht wahr. Meditation ist gegen die unechte Liebe, geht aber voll und ganz mit der echten Liebe einher.

Irgendwann, wenn du nicht mehr weiter nach innen

gehen kannst, kommst du zur Ruhe; du bist am Kern deines Wesens angelangt, am Felsengrund, du bist zentriert. Auf einmal hast du Energie zur Verfügung, aber sie kann nirgendwo hingehen. Die Reise nach außen hörte auf, als du anfingst zu meditieren, und jetzt ist auch die Reise nach innen beendet. Du bist gefestigt, du bist zu Hause angekommen, wo alles voller Energie ist wie ein großes Sammelbecken – was sollst du jetzt tun?

Diese Energie fließt jetzt über. Das ist eine ganz andere Art von Bewegung, sie hat eine vollkommen andere Qualität, denn sie kommt nicht aus einer Motivation heraus. Vorher bist du mit einer Motivation auf andere zugegangen; jetzt ist keine Motivation mehr da. Du gehst einfach auf andere Menschen zu, weil du so viel zu teilen hast.

Vorher bist du wie ein Bettler auf andere zugegangen, jetzt kommst du als ein Kaiser. Nicht etwa, daß du ein bißchen Glück bei einem anderen suchst – das hast du schon. Jetzt hast du zu viel Freude. Die Wolke ist so voll, daß sie gerne regnen möchte. Die Blume ist so erfüllt, daß sie auf den Winden einherreiten möchte als Duft, um in jede Ecke der Welt zu dringen. Es ist ein Teilen. Eine neue Art der Beziehung ist zum Leben erwacht. Von Beziehung zu sprechen ist eigentlich nicht richtig, denn es ist jetzt keine Beziehung mehr; es ist vielmehr ein Zustand des Seins. Du liebst nicht – du bist Liebe.

Strahle Liebe aus

*Für Menschen, die noch niemals geliebt haben,
ist Meditation sehr, sehr schwierig.*

Übe die Liebe. Setz dich allein in dein Zimmer und sei liebevoll. Strahl Liebe aus. Fülle den ganzen Raum mit deiner Liebesenergie. Fühle, wie du auf einer neuen Frequenz schwingst, wiege dich und fühle dich, als seist du im Ozean der Liebe. Schaffe Schwingungen von Liebesenergie um dich herum. Und du wirst sofort spüren, daß etwas geschieht – etwas in deiner Aura verändert sich; eine Wärme entsteht und umgibt deinen Körper... eine Wärme, wie ein tiefer Orgasmus. Du lebst auf, so als weiche der Schlaf von dir. Etwas wie Bewußtheit geht auf. Wiege dich in diesem Ozean. Tanze, singe und laß dein ganzes Zimmer von Liebe erfüllt sein.

Am Anfang fühlt es sich sehr seltsam an. Wenn du zum ersten Mal dein Zimmer mit Liebesenergie anfüllen kannst, mit deiner eigenen Energie, die sich über dich ergießt, auf dich zurückwendet und dich so glücklich macht, fängst du an zu denken: „Hypnotisiere ich mich vielleicht selbst? Ist es eine Täuschung? Was ist los?!" – denn du hast immer gedacht, daß Liebe nur von einem anderen kommen kann. Daß eine Mutter nötig ist, die dich liebt, ein Vater, ein Bruder, ein Mann, eine Frau, ein Kind – irgendjemand.

Das ist eine arme Liebe, die auf einen anderen Menschen angewiesen ist. Liebe, die in dir entsteht, Liebe, die du aus deinem eigenen Wesen erschaffst, ist reale Energie. Wohin du gehst – dieser Ozean der Liebe umgibt dich, und du wirst spüren, daß jeder, der dir nahekommt, unter den Einfluß dieser Energie gerät.

Die Menschen werden dich mit offeneren Augen anschauen. Du gehst an ihnen vorbei und sie werden spüren, daß der Hauch einer unbekannten Energie sie gestreift hat; sie werden sich frischer fühlen. Halte jemandem die Hand, und sein ganzer Körper wird anfangen zu pulsieren. Du brauchst nur jemandem nahe zu sein, und er wird sich auf einmal sehr glücklich fühlen, ohne jeden Grund. Du kannst es beobachten. Dann bist du bereit zu teilen. Dann such dir einen Geliebten, jemanden, der dich aufnehmen kann.

Osho hat uns diese Meditation für Paare gegeben, die in ihrer Beziehung steckengeblieben sind, damit ihre Energien wieder frei werden und sie miteinander verschmelzen können.

Setzt euch in der Nacht einander gegenüber und haltet euch über Kreuz an den Händen. Schaut euch zehn Minuten lang in die Augen, und wenn eure Körper anfangen sich zu bewegen, sich zu wiegen, laßt es zu. Ihr könnt mit den Augen zwinkern, schaut euch aber immer weiter in die Augen. Wenn der Körper sich wiegt – er wird sich wiegen – laßt es zu. Laßt eure Hände nicht los, egal was passiert. Das dürft ihr nicht vergessen.

Nach zehn Minuten schließt die Augen und wiegt euch weitere zehn Minuten lang. Dann steht auf und wiegt euch gemeinsam, haltet euch immer noch an den Händen, zehn Minuten lang. Dies wird eure Energien ganz tief miteinander vermischen.

Ihr sollt einfach ein bißchen mehr ineinander verschmelzen.

Gib dich der Liebe hin

In einer Liebesbeziehung solltest du besessen sein – du solltest nicht versuchen zu besitzen. In einer Liebesbeziehung mußt du dich hingeben, und du darfst nicht immer darauf achten, wer die Oberhand hat. Höre also auf zu denken. Und wenn du dich beim Nachdenken ertappst, dann versetze deinem Kopf einen kräftigen Ruck – einen wirklichen Ruck, so daß alles in ihm drunter und drüber geht. Mache es dir zur Gewohnheit, und innerhalb einiger Wochen wirst du sehen, daß dir so ein Ruck hilft. Du wirst auf einmal bewußter.

In Zen-Klöstern geht der Meister mit einem Stock herum, und immer wenn er einen Schüler sieht, der vor sich hindöst, der nachdenkt, auf dessen Gesicht Träume hin und her wandern, versetzt er ihm sofort einen harten Schlag auf den Kopf. Das geht wie ein Schock durch die Wirbelsäule, im Bruchteil einer Sekunde hört das Denken auf und plötzlich kommt Bewußtheit auf.

Ich kann euch nicht mit einem Stock hinterherlaufen. Gib

dir selbst einen anständigen Schlag auf den Kopf, mögen die Leute auch denken, daß du ein bißchen verrückt bist; mach dir darüber keine Sorgen. Es gibt nur eine Verrücktheit, und das ist das Denken. Zu viel denken, das ist die einzige Verrücktheit. Alles andere ist schön. Denken ist die Krankheit.

Laßt die Liebe von selbst kommen

Wenn Meditation geschieht, geschieht auch unweigerlich Liebe. Wenn keine Liebe aufkommt, so ist das ganz einfach ein Zeichen dafür, daß noch keine Meditation geschehen ist.

Bevor ihr miteinander schlaft, setzt euch fünfzehn Minuten ruhig zusammen hin und haltet euch über Kreuz bei den Händen. Es ist am besten im Dunkeln oder bei schwacher Beleuchtung, und fühlt einander. Stimmt euch aufeinander ein, am besten dadurch, daß ihr zusammen atmet. Wenn du ausatmest, atmet sie auch aus. Wenn du einatmest, atmet er auch ein. Ihr könnt in zwei bis drei Minuten da hineinkommen. Atmet, als wärt ihr ein Organismus – nicht zwei Körper, sondern einer. Und schaut euch dabei in die Augen, nicht mit aggressivem Blick, sondern ganz weich. Nehmt euch Zeit, einander zu genießen. Spielt mit euren Körpern.

Geht nur in die Liebe hinein, wenn es sich so ergibt. Nicht also, daß ihr Liebe macht, sondern auf einmal ist es einfach so weit. Wartet ab. Wenn es nicht kommt, sollt ihr es nicht erzwingen. Legt euch schlafen; es muß nicht heute sein. Wartet ein paar Tage lang, und dann kommt dieser Augenblick von selbst. Und dann geht die Liebe sehr tief, und sie wird euch nicht so verrückt machen wie bisher. Es wird ein sehr, sehr ruhiges, ozeanisches Gefühl sein. Aber wartet auf diesen Augenblick; erzwingt ihn nicht.

Liebe ist etwas, das man wie eine Meditation machen muß. Sie sollte dir wertvoll sein, du solltest sie sehr geruhsam auskosten, damit sie sich ganz tief in dein Wesen ergießen kann und zu einer besitzergreifenden Erfahrung werden kann, so daß du nicht mehr da bist. Ihr macht nicht Liebe – ihr seid Liebe. Liebe wird zu einer größeren Energie, die euch umfängt. Sie ist größer als ihr beide... ihr geht beide in ihr verloren. Aber ihr müßt Geduld haben. Wartet auf diesen Augenblick, und bald werdet ihr wissen, was gemeint ist. Die Energien sammeln sich, und dann geschieht es von selbst. Nach und nach werdet ihr wissen, wann der Augenblick da ist. Ihr werdet langsam die Symptome erkennen, die Vorzeichen, und es wird keine Schwierigkeiten geben.

Liebe ist wie Gott – man kann sie nicht manipulieren. Sie geschieht, wenn sie geschieht. Wenn sie nicht geschieht, so ist das nichts, worüber man sich Gedanken machen müßte.

Versucht nicht, euch selbst zu täuschen. Beobachten ist die wichtigste Quelle. Aber es wird dir schwerfallen, während des Geschlechtsakts ein Zeuge zu bleiben, wenn du nicht auch bei anderen Dingen Beobachter sein kannst. Versuche es also den ganzen Tag über, sonst wirst du einer Selbsttäuschung unterliegen. Wenn du nicht Zeuge sein kannst, während du auf der Straße gehst, dann mache dir nichts vor – dann kannst du kein Zeuge beim Geschlechtsakt sein. Denn wenn du nicht einmal beim Spazierengehen, einem solch einfachen Vorgang, Zeuge sein kannst, wenn du immer wieder unbewußt dabei wirst – wie willst du dann beim Geschlechtsverkehr ein Zeuge bleiben? Es ist etwas so Tiefgehendes... Du wirst unweigerlich ins Unbewußte fallen.

Wenn du auf der Straße gehst, wirst du immer wieder dabei unbewußt. Probiere es aus: Du wirst nicht einmal in der Lage sein, für ein paar Sekunden lang bei der Sache zu bleiben. Versuche es; wenn du das nächste Mal auf der Straße gehst, dann probiere es aus: „Ich will es nicht vergessen: Ich gehe, ich gehe, ich gehe." Nach ein paar Sekunden hast du es schon vergessen; etwas anderes ist dir in den Sinn gekommen. Du bist etwas anderem gefolgt, du hast es vollkommen darüber vergessen. Und plötzlich erinnerst du dich wieder daran: „Ich hab's ja ganz vergessen." Wenn du also einen so einfachen Vorgang wie das Gehen nicht bewußt machen kannst, wird es sehr schwierig für dich sein, den Geschlechtsakt in eine bewußte Meditation zu verwandeln.

Versuche es also zuerst mit einfachen Dingen. Versuche es beim Essen. Versuche es beim Gehen. Versuche es beim

Reden, beim Zuhören. Probiere es mit allem. Laß dies ständig in dir arbeiten; laß deinen ganzen Körper und deinen ganzen Verstand wissen, daß du dir alle Mühe gibst, bewußt zu sein. Nur dann wird es irgendwann einmal geschehen, daß du im Geschlechtsakt ein Beobachter sein kannst. Und wenn dies geschieht, dann hast du erfahren, was Ekstase ist – der erste Schimmer des Göttlichen ist auf dich gefallen.

Osho beschreibt im Vigyan Bhairav Tantra viele tantrische Techniken für die Meditation und wie man Zeuge beim Geschlechtsakt bleiben kann.

Meditation ist nicht für einen Buddha gedacht, für einen,
der die Ganzheit seines Wesens schon erfaßt hat.
Meditation ist eine Medizin, die weggeworfen werden muß.
Solange du nicht in der Lage bist,
deine Meditation wegzuwerfen, bist du nicht gesund.
Vergiß also nicht:
Meditation schleppt man nicht ewig mit sich herum.
Eines Tages hat die Meditation ihre Wirkung getan und du
brauchst sie nicht mehr. Jetzt kannst du sie vergessen.

Meditation ist der einzige Weg, der dich über dich selbst
hinausführt, der einzige Weg, dich selbst zu tranzendieren.

Die neuen Meditationen

Das Symbol der mystischen Rose: Wenn ein Mensch sich der Saat annimmt, mit der er geboren wurde, und ihr den richtigen Nährboden gibt und ihr das richtige Klima und die richtigen Schwingungen angedeihen läßt, und wenn er den richtigen Weg für das Heranwachsen der Saat wählt, dann ist das Symbol für die letzte Reife die mystische Rose - nun hat sich dein Dasein zu voller Blüte entfaltet und verströmt seinen herrlichen Duft.

Osho Mystic Rose Meditation

Am 21. April 1988 führte Osho eine neue meditative Therapie ein und nannte sie "Mystic Rose".
Die Meditation geht wie folgt: eine Woche lang drei Stunden täglich Lachen, eine Woche lang drei Stunden täglich Weinen und eine Woche lang drei Stunden täglich Zuschauen und Zeugesein.

Wenn ein Mensch in den Kern seines Wesens dringt, wird er finden, daß die erste Schicht aus unterdrücktem Lachen besteht, und die zweite Schicht aus unterdrückten Schmerzen und Leiden... Diese Meditation wirft alles Lachen und Weinen hinaus, so daß es nichts mehr zu unterdrücken gibt. Danach kannst du unbeteiligt zuschauen, und nun eröffnet dir das Zuschauen einfach den reinen Himmel.

Diese Meditation tut ihre stärkste Wirkung im Rahmen einer Meditationsgruppe.
Mit Hilfe einer Kassette kann man die Mystic Rose Meditation aber auch allein oder mit ein paar Freunden zusammen machen. Sie unterstützt dein Lachen und hat Musik, die geeignet ist, Tränen hervorzurufen.

Die erste Phase:
Die ersten sieben Tage rufst du am Anfang jedesmal „Jaa-Huu!", ein paarmal, und dann lache einfach ohne jeden

Grund. Du kannst dich setzen oder hinlegen. Du darfst ruhig aus vollem Halse lachen. Ab und zu wirst du auf Barrieren stossen, die seit Jahrhunderten da sind und dich seit je am Lachen gehindert haben. Wenn das passiert, rufe „Jaa-Huu!" oder geh in sinnloses Gebrabbel über, bis das Lachen wieder hochsprudelt.

„Let-Go": Bleib nach jeder Lachsitzung mit geschlossenen Augen ein paar Minuten absolut still sitzen. Der Körper ist gefroren, wie eine Statue, alle Energie wird nach innen gelenkt. Jetzt laß los: entspanne deinen Körper total und laß ihn ohne jede Mühe oder Kontrolle fallen. Sobald dir danach ist, richtest du dich wieder auf und bleibst fünfzehn Minuten lang schweigend sitzen und sei ein paar Minuten lang einfach nur Zeuge.

Die zweite Phase:

In der zweiten Woche fängst du damit an, leise vor dich hin „Jaa-Buu!" zu sagen, ein paarmal, und dann läßt du dich weinen. Wenn du dich nach einiger Zeit des Weinens blockiert oder schläfrig fühlst, dann mach Brabbelgeräusche. Wiege mit dem Körper ein wenig vor und zurück oder sag noch ein paarmal „Jaa-Buu!" vor dich hin. Die Tränen sind da, du darfst sie nur nicht zurückhalten.

„Let-Go": Am Ende der täglichen Phase des Weinens setzt du dich jedesmal völlig still hin, ein paar Minuten lang, und läßt dich dann fallen, genau wie nach der Lachphase.

Die dritte Phase:
In der dritten Woche sitzt du schweigend da. Tanze nach fünfundvierzig Minuten etwa fünfzehn Minuten zu leichter Herzensmusik.

Du kannst auf dem Boden liegen oder auf dem Stuhl sitzen. Kopf und Rücken so gerade wie möglich, die Augen geschlossen, der Atem gelassen. Entspanne dich, sei wach, werde zum Wächter hoch oben auf dem Berge, der einfach alles registriert, was vorüberzieht. Dieser Vorgang des wachen Zuschauens ist die eigentliche Meditation. Es ist nicht wichtig, *was* du siehst. Du darfst dich nur nicht identifizieren, egal was vorbeikommt; du darfst dich in keine der Gedanken, Gefühle, Körperempfindungen, Urteile verlieren. Laß nach dem Sitzen eine sanfte Musik spielen, die dir gefällt, und tanze dazu. Laß den Körper seinen eigenen Rhythmus finden und bleib ganz Zeuge, während du dich bewegst, und verliere dich nicht in der Musik.

Wirf einfach all den Gedankenmüll raus und schaffe den Raum, in dem der Buddha erscheint.

Osho No-Mind Meditation

Diese Meditation entfaltet, genauso wie die Osho Mystic Rose Meditation, ihre stärkste Wirkung im Rahmen einer Meditationsgruppe. Mit Hilfe einer Kassette kann man sie aber auch allein oder mit ein paar Freunden zusammen machen.

Die erste Phase: Gibberish
Du sitzt oder stehst, schließt die Augen und fängst an, Unsinnslaute auszustoßen - Gebrabbel, Gibberish. Mach irgendwelche Geräusche, was immer du willst, es dürfen nur keine Sprachen oder Wörter sein, die du kennst.
Alles ist erlaubt: du kannst singen, weinen, schreien, brüllen, grummeln, reden. Laß den Körper machen, was er will: springen, liegen, herumtigern, sitzen, strampeln oder was immer. Laß keinen Leerlauf zu. Wenn du keine Geräusche finden kannst, um zu brabbeln, dann sag einfach la la la la, nur still bleiben darfst du nicht.
Das Wort ‚gibberish' geht auf einen Sufi-Mystiker namens Jabbar zurück. Jabbar bediente sich nie einer Sprache, sondern stieß immer nur Unsinn aus. Trotzdem hatte er Tausende von Jüngern, denn im Grunde sagte er damit: ‚Euer Denken ist sowieso nur verworrenes Zeug. Fegt es einfach beiseite, und ihr werdet einen ersten Geschmack von eurem wahren Sein bekommen.' Mach Gibberish und werde bewußt verrückt. Werde mit absoluter Bewußtheit verrückt, damit du zum Zentrum des Wirbelsturms wirst.

Die zweite Phase: Zeugesein
Nach dem Gibberish sitzt du absolut still da, schweigend und entspannt, sammelst deine Energie nach innen und läßt deine Gedanken weiter und weiter von dir wegdriften und läßt dich in eine tiefe Stille und Friedlichkeit fallen, genau in deine Mitte. Du kannst auf dem Fußboden oder auf einem Stuhl sitzen, Kopf und Schultern aufrecht, Körper entspannt, Augen geschlossen; du atmest ganz natürlich.
Sei hellwach, sei völlig im gegenwärtigen Augenblick. Werde wie ein Wächter auf dem Berg, der alles aufmerksam verfolgt, was vorbeizieht. Dieser Vorgang des Beobachtens macht die eigentliche Meditation aus - was du beobachtest, ist nicht wichtig. Denk daran, dich mit nichts von dem, was vorbeizieht, zu identifizieren, dich in nichts zu verlieren: keine Gedanken, keine Gefühle, keine Körperempfindungen, keine Urteile.

Die dritte Phase: Loslassen
Nach dem unbeteiligten Zuschauen erlaubst du deinem Körper, sich rückwärts zu Boden fallen zu lassen, ohne jede Mühe oder Kontrolle. Während du auf dem Rücken liegst, fährst du fort, unbeteiligt zuzuschauen, wohlwissend, daß du weder Körper noch Verstand noch Psyche bist, sondern etwas, das von alledem losgelöst ist. Wenn du immer tiefer nach innen reist, kommst du am Ende zu deiner Mitte.

Der einzige Weg

Alle Suche ist nutzlos. Das Suchen ist eine Begleiterscheinung des Denkens. Sobald du im Zustand des Nicht-Suchens bist, ist der große Augenblick der Transformation da.

Es gibt keine Abkürzungen

Alle Meditationen, die wir hier machen, sind einzig und allein Vorbereitungen auf diesen Augenblick. Sie sind nicht wirkliche Meditationen, sondern nur Vorbereitungen, damit du eines Tages einfach dasitzen kannst, ohne etwas zu tun, ohne etwas zu wünschen.

Wenn es um Meditation geht, darfst du eines nicht vergessen: Es ist eine lange Reise, und sie kennt keine Abkürzung. Wer dir erzählt, es gäbe eine Abkürzung, führt dich an der Nase herum.
Es ist eine lange Reise, denn die Veränderung geht sehr tief und man erreicht sie erst nach vielen Leben – nach vielen Leben der routinemäßigen Gewohnheiten, des routinemäßigen Denkens und Wünschens. Und die ganze Struktur des Geistes – sie muß durch die Meditation abgelegt werden. In der Tat ist es fast unmöglich – aber es kommt vor.
Zum Meditierer zu werden, ist die größte Verpflichtung, die ein Mensch eingehen kann. Es ist nicht leicht. Es kann nicht von einem Augenblick auf den anderen geschehen. Erwarte also gleich von Anfang an nicht viel, dann wirst du nie frustriert sein. Dann bleibst du immer glücklich, denn die Dinge entwickeln sich nur ganz, ganz langsam.
Meditation ist keine Blume für nur einen Sommer, die in sechs Wochen ausgeblüht hat. Sie ist ein sehr großer

Baum. Er braucht Zeit, um seine Wurzeln auszubreiten. Wenn die Meditation blüht, ist überhaupt niemand da, der davon Notiz nehmen könnte, der es bescheinigen könnte, keiner, der sagen könnte: „Ja, jetzt ist es geschehen." Im Augenblick, wo du sagst: „Ja, es ist geschehen", ist es schon wieder verloren.

Wenn Meditation wirklich da ist, breitet sich eine Stille aus; ohne jeglichen Laut pulsiert eine Glückseligkeit; eine grenzenlose Harmonie ist da. Aber es ist niemand da, der davon Notiz nähme.

Wenn alle Mühe von dir abfällt, ist plötzlich Meditation da – mit all ihrem Segen, mit all ihrer Glückseligkeit, mit all ihrem Glanz. Sie ist da, wie eine Erscheinung – lichterfüllt – die dich umstrahlt, und die alles umstrahlt. Sie erfüllt die ganze Erde und den ganzen Himmel. Solche Meditation kann nicht durch menschliches Bemühen herbeigeführt werden; menschliches Bemühen ist zu sehr begrenzt. Diese Glückseligkeit ist so unendlich – du kannst sie nicht manipulieren. Sie kann nur dann geschehen, wenn du dich ganz und gar aufgibst. Wenn du nicht mehr da bist, nur dann kann sie geschehen. Wenn du ein Nicht-Ich bist, ohne Verlangen, nirgendwo hin willst, wenn du nur hier und jetzt bist, ohne etwas Besonderes zu tun, einfach nur bist – dann geschieht es. Und es kommt in Wellen und die Wellen werden zur Flut. Es kommt wie eine Sturmflut und trägt dich davon in eine vollkommen neue Realität.

Für mich sind Meditation und Musik zwei Aspekte des gleichen Phänomens. Ohne Meditation ist Musik einfach nur ein Geräusch – harmonisch, aber eben ein Geräusch; ohne Meditation ist Musik bloße Unterhaltung. Ohne Musik fehlt der Meditation etwas; ohne Musik ist Meditation etwas fade und leblos. Und Meditation ohne Musik wird allzu negativ, neigt sich zu sehr dem Tode zu.

Über Osho

Oshos Lehren widerstehen jegliche Kategorisierung, sie gehen von der persönlichen Sinnsuche bis hin zu den dringendsten sozialen und politischen Fragen, mit der die Welt heute konfrontiert ist. Seine Bücher sind nicht geschrieben, sondern aus zahllosen Tonband- und Videoaufnahmen transkribiert. Er hat über einen Zeitraum von 35 Jahren vor einer internationalen Zuhörerschaft stets aus dem Stegreif gesprochen. Der Londoner Sunday Times zufolge zählt Osho zu den „1000 Machern des 20. Jahrhunderts"; der amerikanische Romanautor Tom Robbins hat ihn einmal „den gefährlichsten Mann seit Jesus Christus" genannt.

Osho selbst beschreibt sein Werk als „Beitrag, die Voraussetzungen für die Entstehung einer neuen menschlichen Lebensweise zu schaffen". Diesen neuen Menschentypus hat er immer wieder als „Sorbas der Buddha" umschrieben – also ein Menschen, der nicht nur wie Sorbas der Grieche die irdischen Freuden zu schätzen weiß, sondern ebenso sehr die stille Heiterkeit eines Gautam Buddha. Wie ein roter Faden zieht sich durch alle Aspekte von Oshos Arbeit die Vision einer Verschmelzung der zeitlosen Weisheit des Ostens mit den höchsten Potenzialen westlicher Wissenschaft und Technik.

Vor allem seine revolutionären Neuansätze zur Wissenschaft der inneren Transformation haben Osho berühmt gemacht. Denn seine Auffassung von Meditation wird dem rasanten Tempo einer modernen Lebensweise gerecht. Seine innovativen „aktiven Meditationen" basieren auf dem Gedanken, dass erst der in Körper und Geist angesammelte Stress abgebaut werden muss, um frei von Gedanken und entspannt einen meditativen Zustand zu erfahren.

Das Osho Meditation Resort

Das Osho Meditation Resort ist ein Platz, an dem Menschen eine ganz neue Lebensweise erfahren können – geprägt von mehr Bewusstheit, Entspannung und Lebensfreude. Etwa 100 km südöstlich von Mumbai im indischen Pune gelegen, hat dieser Platz ein reichhaltiges Programm zu bieten; Tausende von Menschen aus mehr als hundert Ländern weltweit besuchen den Platz Jahr für Jahr.

Die Stadt Pune, ursprünglich eine Sommerresidenz für Maharadschas und reiche Briten der Kolonialzeit, hat sich zu einer blühenden modernen Großstadt entwickelt, die heute eine ganze Reihe von Universitäten und high-tech Industrien beherbergt. Das Meditation Resort erstreckt sich über ca. 15 Hektar inmitten eines von prächtigen alten Baumalleen gesäumten Villenviertels namens Koregaon Park. Das Resort bietet Unterkunftsmöglichkeiten auf dem Campus im neuerbauten Guesthouse; daneben gibt es aber noch ein breites Angebot an nahegelegenen Hotels und Privatappartments.

Das Programm des Resorts gründet auf Oshos Vision einer qualitativ neuen Art von Mensch, der nicht nur sein Alltagsleben schöpferisch zu gestalten vermag, sondern auch Zugang zu entspannter Stille und Meditation findet. Praktisch alle Veranstaltungen finden in modernen, klimatisierten Räumlichkeiten statt. Angeboten werden u.a. Einzelsitzungen, Kurse und Workshops zu allen möglichen Themen – von den bildenden Künsten bis hin zu ganzheitlichen Heilmethoden, von persönlicher Transformation bis hin zu Therapie, esoterischer Wissenschaft, Sport- und Fitnessprogrammen mit ‚Zen'-Akzent, Beziehungsthemen und Angebote für Menschen, die in grundlegenden Veränderungsphasen ihres Lebens sind. Und natürlich gibt es ganzjährlich die täglich stattfindenden Meditationen im Resort.

In den Cafés und Restaurants unter freiem Himmel stehen sowohl Menus der indischen Küche als auch eine breite Palette internationaler Gerichte zur Wahl. Verarbeitet werden nur Gemüse aus organisch-kontrolliertem Anbau von der Farm des Resorts. Der Campus verfügt über sicheres, gefiltertes Wasser aus der eigenenen Trinkwasseranlage.

www.osho.com/resort

Weitere Titel von Osho zum Thema Meditation

Was ist Meditation?
inkl. Türschild „Meditation – Bitte nicht stören"
112 S., Broschur, illustriert,
ISBN 3-936360-61-8

Das Feuer der Meditation
Eine Anleitung zur inneren Brandstiftung
256 S., Broschur
ISBN 3-936360-66-9

MorgenMeditationen
365 Einstimmungen in den Tag
400 S., Broschur, illustriert
ISBN 3-936360-60-x

Osho® Active Meditations auf CD

Osho® Dynamic Meditation
Musik: Deuter
Energetisierende Morgenmeditation in fünf Phasen

Osho® Kundalini Meditation
Musik: Deuter
Beliebte Abendmeditation in vier Phasen

Osho® Nadabrahma Meditation
Musik: Deuter
Angelehnt an eine uralte tibetische Methode

Osho® Nataraj Meditation
Musik: Deuter
Tanzmeditation und Stille

Osho® Mandala Meditation
Musik: Deuter
Kathartische Methode, um den Energiekreislauf in Schwung zu bringen

Osho® Chakra Breathing Meditation
Musik: Kamal
Aktive Atemmassage der sieben Chakren

Osho® No Dimensions Meditation
Musik: Shastro & Sirius
Basiert auf Gurdjieffschen Bewegungen und den Derwischtänzen

Osho® Chakra Sounds Meditation
Musik: Karunesh
Durch Laute öffnen und harmonisieren sich die Chakren

Osho® Gourishankar Meditation
Musik: Deuter
Atemtechniken und Entspannung führen zu Stille und Frieden

Osho® Whirling Meditation
Musik: Deuter
Whirling ist eine alte Methode der Sufi-Derwische

www.innenwelt-verlag.de